Ce que tient ta main droite
t'appartient

Pascal Manoukian

Ce que tient ta main droite t'appartient

Don Quichotte éditions

www.donquichotte-editions.com

© Don Quichotte éditions, une marque des éditions du Seuil, 2017

ISBN : 978-2-35949-591-1

À tous...

« Nul homme n'est une île, un tout en soi. Chaque homme est partie du continent, partie du large. Si une parcelle de terre est emportée par les flots, c'est une perte égale à celle d'un promontoire. La mort de tout homme me diminue parce que je suis membre du genre humain. Aussi n'envoie jamais demander pour qui sonne le glas. Il sonne pour toi. »

John Donne,
Devotions upon Emergent Occasions, 1624

1

« D'une manière générale, vous sentez-vous très heureux, heureux, malheureux, ou très malheureux dans votre vie ? » La question s'étale en un chapelet de mots bleus projetés sur le mur de la salle de réunion.

Charlotte ne se la pose pas. À trente ans, elle chasse les tendances pour un bureau de style et, entre deux avions, cherche un appartement dans un petit territoire du onzième arrondissement de Paris circonscrit par la rue de Crussol, la rue Amelot et le passage Saint-Sébastien.

Agacée, elle féminise mentalement la formulation et attend la réponse. Visiblement, son optimisme n'est pas partagé. Seulement quarante-trois pour cent des Français se déclarent pleinement satisfaits contre quatre-vingt-treize pour cent des habitants des îles Fidji. À quoi donc peut ressembler le bonheur dans l'archipel ? Elle googelise discrètement. La 4G la transporte au bord d'un lagon bleu tendre. Sur son téléphone défile une vie de prospectus : un ciel passé au tamis, un soleil de duel et des palmiers penchés sur le sable comme des porteurs de parasol. Rien à voir avec ce qui la rend heureuse, ou quinze journées par an peut-être, le ventre pointé hors des eaux transparentes, enduite de crème et rutilante, à l'image de ces carapaces de tortue qui encombrent maintenant l'écran de son iPhone.

Non, il lui faut des saisons pour se sentir exister.

Le printemps pour prendre des résolutions. L'été pour le plaisir de les mettre entre parenthèses. L'automne pour se dépêcher de les tenir. Et l'hiver pour remettre finalement le tout à plus tard. Elle aime le contraste, les cycles. Sans eux, la terre redeviendrait plate, dépourvue de lignes de fuite, cernée de bords désespérément rectilignes. Aux Fidji, elle aurait l'impression de se heurter sans cesse au même cadre, le sentiment de vivre enfermée à l'intérieur d'un magnet de frigidaire.

L'intervenant cherche son attention du regard. Elle se déconnecte. Le projecteur enchaîne sur la deuxième question. Le sondage, lui a-t-on expliqué, est destiné à établir un indicateur mondial de confiance en l'avenir sur une année.

Le noir se fait à nouveau.

« Croyez-vous en l'amélioration économique du pays ? »

Elle en doute. Son début de carrière tend même à la convaincre du contraire. Un premier CDD, après six ans d'études de commerce dont deux à l'international, sans oublier les quarante-huit mois de stages divers et interminables. À soixante ans, son père met fin à une vie d'employé dans la bijouterie de son apprentissage. Comment dire ? Il lui semble qu'à l'inverse de l'espèce humaine les salariés sont sournoisement repassés de la position debout à la position couchée.

Une nouvelle fois, la réponse la surprend : en matière d'espoir économique, la Papouasie-Nouvelle-Guinée devance la France de cinquante-six places ! Décidément, l'avenir appartient aux archipels. Qu'est-ce qui peut bien rendre les Papous si sûrs d'eux ? Elle s'imagine les corps peints, les nez percés d'os. L'intervenant passe un instant devant le projecteur. Son visage se tatoue de bleu. On dirait un chef de tribu.

Une nouvelle rafale de mots crible le mur de la dernière interrogation.

« Sur le plan personnel, pensez-vous que l'année prochaine sera plus prometteuse que celle qui s'achève ? »

Charlotte sourit. Cette fois, elle ne craint ni les Fidjiens ni les Papous. Les mois à venir seront les siens. Personne ne sera plus heureux qu'elle, dans aucun archipel.

L'intervenant rallume la salle.

Selon les sondeurs, toutes questions confondues, le Nigeria arrive en tête des soixante-cinq nations consultées. L'État le plus peuplé d'Afrique, le pays où l'homosexualité se voit réprimée de quatorze ans d'emprisonnement, celui où les djihadistes de Boko Haram harcèlent l'armée pour instaurer la charia, devance en matière d'optimisme la France, classée bonne avant-dernière, largement dépassée par l'Irak et l'Afghanistan.

Charlotte se demande comment son bonheur peut être entouré d'autant de désespoir. Des terrasses des cafés, du petit périmètre où elle cherche un appartement, rien ne laisse entrevoir un tel podium. Elle n'ignore rien des lignes de fracture, bien sûr. Les chiffres du chômage, la grande misère, les gens dans la rue, les travailleurs pauvres, les files devant les Restos du cœur, les contrôles au faciès, mais aucune de ces blessures ne lui semble aussi désespérante que les images qui lui arrivent chaque jour du Mali, d'Irak ou de Syrie.

Son téléphone vibre.

« Karim ? murmure-t-elle.

— Tu attendais quelqu'un d'autre ? plaisante la voix.

— Bien sûr que non, idiot ! »

Elle se fait amoureuse.

« Ça va, mon cœur ?

— C'est à toi qu'il faut demander ça...

— Pas maintenant, je suis en pleine réunion. »

Il ne l'écoute pas.

« Vous travaillez sur quoi ? »

Elle fait mine de chercher quelque chose dans son sac pour continuer la conversation discrètement.

« Sur le moral des Français.

— Alors ? »

Elle hésite.

« Alors, les Irakiens sont plus optimistes que nous.

— C'est normal. »

Elle ne voit pas pourquoi.

« Parce qu'ils partent de loin, Charlotte. »

Elle ne voit toujours pas.

« C'est simple, quand le désespoir est trop grand, il finit par rendre optimiste. »

La jeune femme reste sceptique.

« Tu te sentirais heureux, toi, si tu vivais en Irak ou dans un pays en guerre ? »

Karim n'y pense même pas. En quittant l'Algérie dans les années soixante-dix, Salah, son père, avait longtemps hésité entre la France et la Libye. Finalement, il s'était décidé pour Paris. Mieux valait être pauvre et arabe ici, avait-il expliqué à son fils, que pauvre et arabe chez les Arabes, parce qu'en Libye, en plus d'être misérable, il leur aurait fait honte.

Karim le voit encore frotter ses gros doigts abîmés à soulever les cageots dix heures par jour, sept jours sur sept. « Ici au moins, avait ajouté son père, ma misère n'a gêné personne. J'étais arabe, c'était normal. » La Libye d'aujourd'hui laissait penser à Karim que le hasard avait bien fait les choses.

« Alors ? demande Charlotte.

— Alors quoi ?

— Tu penses que le bonheur est en Irak, toi ? »

L'idée même lui semblait un cauchemar. Il sursautait à la moindre explosion de pétard et il supportait mal l'odeur âcre des salles de prière. Salah s'était pourtant toujours montré très strict en matière d'éducation religieuse. Il se souvenait des vendredis de son adolescence, à la mosquée, des ablutions bâclées pour en finir au plus vite quand l'eau froide lui mordait les joues, de ses prosternations maladroites à contretemps des autres, des gorgées d'eau avalées en cachette les jours de ramadan et surtout de la silhouette des filles défilant comme des ombres devant lui, pour aller psalmodier le Coran derrière le muret de briques qui les abritait du regard des hommes.

À leur passage, Karim en oubliait la prière. Il fermait les yeux et, délicieusement, péchait au nez et à la barbe de Dieu en imaginant leurs petites fesses rondes monter vers lui en rangs serrés, comme un chapelet de pleines lunes, chaque fois qu'elles se prosternaient. Son corps finissait par le trahir, alors, confus, il s'agenouillait et faisait semblant de prier pour cacher ses émois.

Un vendredi, Hamed, un vieux à la longue barbe raide et rouge, lui avait pincé la joue au sang et l'avait traîné hors de la mosquée.

« Je t'ai vu cracher au visage de Dieu », le sermonna-t-il. Il avait de la haine dans les yeux.

« Tu fais honte à ton père ! Blasphémer par l'esprit, c'est encore pire que de blasphémer pour de vrai ! »

Karim s'était demandé comment il avait su.

Le vieux continuait à lire en lui comme dans un livre.

« Parce qu'Allah m'aide à démasquer les gens comme toi », écuma-t-il.

On aurait dit qu'il avait introduit une paille dans son cerveau pour le siphonner. Le vieux avait accentué la pression de ses doigts sur sa joue en lui arrachant des larmes.

« Tu crois à ce que dit la chahada ?

— Oui, monsieur, avait bredouillé Karim.

— Jure-le ! »

Il jura.

« Alors répète : il n'y a de Dieu qu'Allah et Muhammad est son messager. »

Karim s'exécuta.

« Encore ! hurla Barbe rouge.

— Il n'y a de Dieu qu'Allah et Muhammad est son messager. »

C'est la phrase la plus importante du Coran. La profession de foi à laquelle tout musulman doit se soumettre tout au long de sa vie. Elle est murmurée à l'oreille droite du nouveau-né et du mourant. Elle seule ouvre les portes de l'islam et sépare pour toujours le bon du gras comme une lame effilée. Pas besoin de cérémonial. Il suffit à n'importe qui, n'importe où, n'importe quand, de la prononcer avec sincérité pour se convertir.

Allah accepte tous ceux qui l'acceptent. En échange, Il leur promet l'oumma, un monde au-dessus des nations, une grande communauté où un jour, se jouant des frontières et des gouvernements, tous les musulmans vivront librement leur foi.

Mais la chahada engage à vie. Le divorce n'existe pas. La trahir, c'est trahir Dieu, et trahir Dieu, c'est mourir. L'expulsion de la communauté est immédiate. Les renégats rejoignent alors le rang des apostats, des traîtres, des moins que rien, à la merci des pierres et des sabres.

Ce jour-là, Karim avait eu peur de la sentence. Le vieux lui avait finalement lâché la joue. Le petit chapelet de lunes pleines était sorti au même moment de la mosquée, en chaloupant des hanches.

« Les femmes éloignent l'homme de Dieu, avait sermonné Barbe rouge, c'est pour ça qu'Allah les éloigne de nous. »

Puis il lui avait claqué la tête.

« Souviens-toi de ça. »

Ce sont des conneries, tout ça, qu'est-ce qui te donne le droit de parler à la place de Dieu ? Si Allah avait voulu séparer la femme et l'homme, pourquoi les avait-il faits complémentaires ?

C'était ce que Karim avait failli penser mais il s'était souvenu de la paille dans son cerveau et s'était abstenu.

Barbe rouge possédait le plus grand pressing d'Aubervilliers. Il vivait de la sueur des autres. De temps en temps, Karim se postait devant sa vitrine pour regarder les vêtements tourner comme des pendus. De chemises en pantalons, d'auréoles de thé en taches de cambouis, Hamed avait réussi à s'offrir le rêve de tout musulman : un pèlerinage à La Mecque. Après la chahada, les cinq prières de la journée, l'obligation d'accorder l'aumône aux pauvres et celle de faire le jeûne du ramadan une fois par an, c'était le cinquième devoir à respecter pour s'ouvrir les portes du paradis.

« Quiconque accomplit le pèlerinage pour l'amour de Dieu et s'abstient de toutes relations sexuelles avec son épouse, s'il ne fait de mal à personne et ne commet aucun péché, dit le Coran, retournera chez lui comme s'il était nouveau-né. »

Ces cinq clefs de l'islam, Karim s'était longtemps promis de les garder autour du cou.

Puis trop de Barbes rouges l'en avaient éloigné. Le jour de ses dix-sept ans, il s'en était ouvert à son père et les lui avait rendues. Finalement, Dieu ne l'intéressait pas plus que ça. Il ne le rejetait pas, mais ne voulait plus en faire la lumière de sa vie.

Salah, l'épicier aux mains rongées par les cageots, avait masqué sa déception, immense.

« Sache qu'Il te regarde quand même », avait-il simplement murmuré.

Karim le remerciait encore de cette libération. Elle aussi aurait été plus délicate en Libye.

Au téléphone, Charlotte attend sa réponse.

« Alors ?

— Alors quoi ?

— Tu ne m'as toujours pas expliqué ce qui attire les gosses d'ici là-bas ? »

C'est lui maintenant qui aimerait bien raccrocher.

« Des trucs tellement loin de nos valeurs qu'on a du mal à imaginer quoi. Ça arrive à chaque génération. Les jeunes communistes rejoignaient l'Union soviétique pour vivre dans une société sans classes, les hippies partaient à Katmandou en rêvant d'un monde sans violence... Eh bien, pour tous ces types aujourd'hui, l'aventure, ce n'est plus de faire Paris-Dakar mais Paris-Raqqa. »

Elle ne trouve pas ça drôle. La veille, un attentat a fait quarante morts à Beyrouth. Quarante vies déchiquetées en pleine rue par des boulons enfoncés un à un, au nom de Dieu et de Daech, dans une ceinture d'explosifs. Le kamikaze, un gosse de vingt ans, a coupé un bus scolaire en deux.

« Ne plaisante pas avec ça, dit-elle.

— Je ne plaisante pas. Sais-tu qu'il y a une liste d'attente pour les candidats au suicide en Syrie ? »

Cette fois, elle se fâche.

« Si c'est pour raconter des horreurs pareilles, raccroche. Tu vas finir par me faire virer du cours. »

Il aime ses petites colères. Elles ne durent jamais. Juste assez pour assombrir ses yeux gris de tigre.

« Je m'en fous, dit-il, je travaillerai pour nous deux. »

Elle marque un silence.

« Pour nous trois, tu veux dire ! »

Il se reprend, gêné.

« C'est vrai, excuse-moi. Comment va-t-il ? »

Charlotte force un soupir.

« Il bouge tout le temps, chuchote-t-elle, comme toi. »

Karim a brusquement envie de poser la tête sur son ventre. En six mois, il s'est délicieusement arrondi. On dirait l'un de ces cercles parfaits à la surface de l'eau, après un ricochet.

Salah lui trouve plutôt la rotondité du dôme de la mosquée Al-Aqsa à Jérusalem. Chaque fois que Karim vient avec elle dans l'épicerie familiale d'Aubervilliers, il s'agenouille devant son comptoir et implore Allah de protéger l'enfant contre les démons.

Tigrane, le père de Charlotte, préfère voir dans les rondeurs du ventre de sa fille la courbe douce des voûtes des églises d'Arménie. Dans sa bijouterie de la rue de Bretagne, tous les matins, il brûle un cône d'encens au pied de la Sainte-Croix et prie Dieu qu'elle leur serve de bouclier contre le mauvais œil.

Tigrane est un chrétien d'Orient. Il a la finesse d'un papier de Bible. La vie des siens est une succession de guerres soudaines et de paix précaire avec les musulmans. Au début du siècle dernier, les Turcs avaient jugé bon d'éventrer ses oncles et ses tantes, mais d'accorder la vie sauve à sa mère. Comme de nombreux survivants, elle avait fui l'Arménie pour trouver refuge à Alep, en Syrie, avant de s'exiler à Pont-de-Chéruy, dans l'Isère, où il est né. Depuis, il allume de l'encens au pied des crucifix.

Charlotte et Karim, eux, ne croient qu'en leur bonheur. Un état de grâce dans lequel ils s'enveloppent, se tournent et se retournent depuis leur premier baiser échangé sur « Don't Stop Me Now », une vieillerie de Queen de la fin des années soixante-dix. Une madeleine de l'époque où la France gardait le moral, où Freddy Mercury ne se gavait pas d'AZT et où les ventres de leurs mères n'avaient pas encore pris des rondeurs de voûtes d'église ou de dômes de mosquée. Un hymne à la joie pop rock, bourré de bonnes ondes. Un vaccin contre la déprime, une invitation à vivre.

« Ce soir, chantait Freddy, je me sens vivant. Je vais mettre le monde à l'envers. Je flotte tout autour en extase. Ne m'arrêtez pas tout de suite. Laissez-moi m'amuser. »

Le jour du baiser, Karim fêtait ses vingt-cinq ans et son

diplôme de monteur truquiste. Charlotte sirotait un verre de Sancerre, pelotonnée dans son canapé de célibataire. Il n'avait aucune idée de ce qu'elle faisait là. Il apprit plus tard qu'il devait la rencontre de la femme de sa vie à une théorie établie en 1929 par un certain Frigyes Karinthy. Selon cet écrivain hongrois, toute personne sur la planète pouvait être reliée à n'importe quelle autre à travers le simple enchaînement de cinq poignées de main.

Voici comment les choses s'étaient très précisément enchaînées pour Charlotte et Karim.

Un an auparavant, Charlotte avait trouvé un passeport dans le métro. Le document appartenait à James Smith, un Australien de vingt-sept ans, propriétaire du premier bar sans alcool de Sidney. L'été suivant, Marion, la cousine de Charlotte, était partie travailler chez James pour l'été. Anna, une photographe danoise, lui avait proposé de partager sa chambre et le loyer. De retour à Copenhague, Anna avait donné le numéro de Marion à la femme chinoise du correspondant d'*El País* au Danemark, qui cherchait une traductrice française pour un reportage sur les bistrots de Paris. Marion, amoureuse d'un surfeur de la côte basque, avait décliné l'offre et recommandé Charlotte.

Zhe, la femme du correspondant d'*El País*, avait engagé Karim comme monteur et, en retour, le jeune homme l'avait invitée à fêter ses vingt-cinq ans chez lui ; Zhe était arrivée accompagnée de sa traductrice.

Charlotte, James, Marion, Anna, Zhe la femme du correspondant d'*El País* au Danemark, Karim, le compte y était : il avait fallu cinq poignées de main pour que la future mère de son enfant sirote ce soir-là un verre de Sancerre sur son canapé de célibataire.

Karim avait tout de suite aimé sa blancheur et sa fragilité. Ses petits seins aussi. Il les regardait monter et descendre chaque fois qu'elle dansait, comme si Freddy Mercury jonglait avec eux en chantant : « Je suis une étoile filante. Un tigre bondissant défiant les lois de la gravité. Je suis une voiture de course. Je voyage à la vitesse de la lumière. Je file, je file, je file. Personne ne peut m'arrêter. »

Depuis, leur voie lactée se résumait à écouter Freddy Mercury lovés sur le canapé, un verre de bon vin pour deux. Un bonheur idiot, comme tous les bonheurs.

Un soir, Charlotte était rentrée hystérique. Un chercheur en neurosciences de l'université de Groningue, aux Pays-Bas, venait d'établir une formule mathématique capable, selon lui, de déterminer *la* chanson qui, parmi toutes, possédait le pouvoir de rendre les gens heureux.

Trois critères précis définissaient le morceau parfait. Un tempo de cent cinquante battements par minute, là où en moyenne les chansons pop se contentaient de cent dix-huit seulement. Des paroles positives ou au contraire sans aucun sens. Et l'utilisation obligatoire de la gamme majeure, la plus favorable à mettre les gens en confiance.

Selon le chercheur de Groningue, pour déterminer le morceau parfait, il fallait dans cet ordre poser l'équation suivante : faire la somme de toutes les références positives du texte ; diviser le résultat par la différence entre le tempo de la chanson et le tempo idéal de cent cinquante battements-minute, au carré ; ajouter à ça la différence entre la gamme de la chanson et la gamme majeure considérée comme idéale.

Le résultat comblait Charlotte : « Don't Stop Me Now » frôlait la perfection. La chanson de leur baiser, la clef de leur histoire, arrivait en tête du bonheur. Loin derrière elle suivaient « Dancing Queen » de Abba ; « Good Vibrations » des Beach Boys ; « Uptown Girl » de Billy Joel ; « Happy » de Pharrell Williams ; « Let Me Entertain You » de Robbie Williams.

Ce soir-là, Karim avait laissé Freddy chanter en boucle et ils avaient bu à la source de leur amour toute la nuit.

Trois mois plus tard, le ventre de Charlotte prenait des allures de mosquée. À l'intérieur, elle pouvait sentir un petit cœur battre à cent cinquante pulsations-minute et rêvait déjà de lui fredonner toutes les paroles du monde.

« Tu as parlé à ton père ? demande-t-elle brusquement en changeant de sujet.

— Pour le prénom ?

— Non, pour lui dire qu'on ne voulait ni du baptême ni de la circoncision. »

Chacun de leurs parents espérait encore et les réunions de famille prenaient des allures de camp David. Eux se sentaient obligés de faire un effort pour ne blesser personne.

« Non, pas encore. Je passe voir l'imam ce soir pour lui parler de notre idée de cérémonie œcuménique.

— Le curé a déjà dit oui, tu sais.

— C'est normal, vous avez une croisade d'avance », plaisante Karim.

Charlotte ne relève pas. Elle n'a aucune envie de remettre le sujet sur l'Irak.

« Au fait, je vais au Zébu Blanc avec Aurélie et Mathilde, ce soir.

— Tu ne vas pas picoler, j'espère ! »

Elle force sa réaction.

« C'est quoi ça ? Le musulman en toi qui se réveille ?

— Non, sérieux, insiste Karim, j'ai lu des trucs pas sympas sur l'alcool pendant la grossesse. »

Elle le rassure, émue qu'il s'inquiète.

« Passe si tu veux, j'ai réservé en terrasse. J'ai acheté une petite jupe qui me moule les fesses, on dirait deux boules de glace. Ce soir, j'allume tout le monde ! Je me lâche, dans trois mois c'est fini, j'aurai un ventre de tortue. »

Il l'imagine déjà. En tortue, pas en boules de glace. Il hésite.

« Je ne sais pas, j'ai promis à mes parents de passer les voir après la mosquée.

— Tant pis pour toi », le nargue-t-elle en entamant un « Ce soir, je suis une fusée, je file droit vers la collision. Je suis un satellite incontrôlable. Je suis une sex machine, une bombe atomique prête à exploser. Alors ne m'arrêtez pas, je vous en supplie, laissez-moi m'amuser... »

Karim se dit qu'il pouvait toujours essayer d'avancer le rendez-vous.

« Vous fêtez quoi au Zébu Blanc ?

— Un truc de filles, répond-elle, mystérieuse.

— Allez ? insiste-t-il.

— Le bonheur ! Je suis la première des trois à être enceinte. Grâce à toi, mon amour. »

Il a une brusque envie de mordre dans la glace.

« Ne rentre pas trop tard, j'ai hâte de voir cette jupe. »

Elle rit.

« Ne t'inquiète pas. Je la remettrai... on a toute la vie. »

2

Comme Karim, Aurélien a un rendez-vous important ce soir. Il regarde par la fenêtre. La cité existe toujours. Elle ne bougera jamais. Il cherche la boîte de compas derrière le dictionnaire d'allemand, qui prend la poussière.

Elle est toujours là, le shit aussi.

Sur les murs de sa chambre, tous ses rêves de gosse perdent leurs couleurs. Ronaldinho et ses envies de football professionnel, les plages d'Australie longues comme les lignes de coke où il a égaré l'argent des billets, Gisèle Bundchen et ses courbes parfaites qui ne l'intéressent plus. Il ouvre le dictionnaire. La deuxième de couverture porte une dédicace : « À Aurélien Lagnier, terminale S. Avec les félicitations du proviseur pour cette année particulièrement réussie. Bonne classe prépa. Aubervilliers, juin 2002. »

À l'intérieur se trouve aussi la souche d'un billet à destination de Berlin. Un cadeau pour ses dix-sept ans et sa mention bien. Tout ça lui semble loin. Il cherche le moment où sa vie lui a échappé. Il arrache la page des « A », ouvre la boîte à compas et commence à rouler. Le shit s'est endurci, comme lui.

La première ligne du dictionnaire commence par le mot « aal ». Ça veut dire « anguille ».

Il sourit.

À trente ans, c'est ce qu'il est devenu. Insaisissable, capable de se glisser partout, d'échapper à tout le monde. Ses doigts retrouvent le geste. Depuis quelques mois, ils sont devenus d'une précision redoutable. Il admire son travail. Le cône parfait.

Il ouvre la fenêtre et l'allume. L'anguille part en fumée. Il pense à sa soirée. Si le temps reste au beau, elle sera réussie.

Dans la tour d'en face, au neuvième, la Chinoise pratique son taï-chi en body beige.

En un an, ses seins se sont dérobés.

« Maman ! hurle-t-il. Elle a eu un gosse, la Chinoise ? »

Personne ne lui répond. Il l'aperçoit en bas, minuscule. Elle trottine vers le marché. Sa mère lève la tête pour lui faire un signe. Il la trouve vulgaire, trop boudinée, trop maquillée, trop tout. Il ne la supporte plus. L'idée d'être sorti d'entre ses cuisses le dégoûte.

Depuis son retour à la maison, elle s'acharne à vouloir cuisiner. Elle fait des listes. Ce midi, c'est endives au jambon.

« Tu te souviens comme tu aimais ça ? »

Il ne veut se souvenir de rien justement. Ni des endives ni du reste. Il s'est débarrassé de sa vie d'avant, comme d'une première peau. Il y revient juste faire un dernier tour de piste avant d'enfiler l'autre.

Depuis son retour, sa mère s'aveugle de souvenirs ridicules pour éclairer son trois-pièces défraîchi.

Sa première communion, leurs vacances à La Grande-Motte, les petits déjeuners du dimanche matin à trois avant l'accident mortel de son père, une nuit, sur une route détrempée du Gard, son poème à l'enterrement de sa sœur et toutes les conneries du curé sur le corps du Christ, le Père, le Fils et le Saint-Esprit.

Le joint lui arrache la gorge. Il vérifie les cachets dans sa poche.

Au huitième étage, la vieille Berbère malaxe de la semoule. Elle s'éreinte, penchée sur une immense bassine en cuivre. Régulièrement, elle remonte son foulard d'un geste délicat du dessus du poignet puis replonge ses gros doigts dans les grains jaunes pour les travailler.

Dans la chambre d'à côté, en face d'une glace d'armoire, sa fille, le cul et les seins à peine couverts, body-pumpe sur « Propaganda » de DJ Snake, avec l'espoir de faire encore illusion à son prochain entretien d'embauche – si par miracle elle réussit à en décrocher un.

Des traces de voitures brûlées vérolent les parkings comme des taches de vieillesse. Tout semble pétrifié, pompéisé. C'est pour ça qu'il est parti. Pour rester en mouvement, ne pas se fossiliser.

Il tire une dernière fois sur le joint et ferme la fenêtre. Sa mère va s'arrêter à l'église brûler une bougie pour lui. Ça laisse un peu de temps. Il traîne délicatement son sac de sous le lit, en sort la gaine, se met torse nu, rentre le ventre et l'essaye.

Elle lui fait perdre plus d'une taille d'un coup. C'est parfait.

Il se trouve beau. Il sort le maquillage. Ses doigts contournent ses yeux d'un trait de Kohl bien régulier. Son regard s'affirme. Il attrape le flacon de Hugo Boss acheté au duty free et s'en vaporise sur le torse et dans le cou.

Dans la glace, l'autre Aurélien le fixe. Il lui trouve une putain d'allure. C'est tout ce qu'il avait toujours voulu être. Pourquoi l'avait-on forcé toutes ses années à vivre à contresens ?

La clef tourne dans la serrure. Elle rentre.

Il se démaquille rapidement, replie la gaine dans le sac et le glisse précautionneusement sous le lit.

« Doudou ? »

Il déteste quand elle l'appelle comme ça.

« Tu es à la maison ? »

Il la laisse parler toute seule.

« J'ai acheté des pêches chez Salah, tu sais, l'épicier près du grand pressing... »

Il passe rapidement une chemise.

« Il m'a demandé de tes nouvelles. Son fils va avoir un bébé. »

Elle met déjà la table. Des assiettes en pyrex blanches aux bords verts, gagnées une à une par son père en cumulant des points essence, avant l'accident sur la route du Gard. Les mêmes depuis vingt ans.

« Je lui ai dit que tu travaillais en Grèce. Ça lui a fait plaisir, tu sais. »

Elle débouche une bouteille.

« Tu veux du vin à midi ? »

Heureusement, il n'a plus longtemps à la supporter.

« Non ! Et tu n'as pas besoin de raconter ma vie à tout le monde, putain ! Je te l'ai déjà dit ! »

Elle hausse les épaules. Elle l'a mieux élevé que ça.

« Ce n'est pas tout le monde, c'est Salah, tu étais en CE2 avec son fils Karim. »

Aurélien repousse l'endive qu'elle lui tend. Le fromage crépite encore sur le jambon.

« Tu n'as pas faim ? »

Il se coupe du pain et un morceau de fromage.

« C'est pas un repas, ça...

— Maman ! hurle-t-il. Merde ! »

Elle se recroqueville.

« D'accord, d'accord, je ne te force pas... »

Elle aimerait lui prendre la main mais n'ose pas. Pourquoi n'y arrive-t-elle plus ? Ils ont été si proches, surtout après la mort de son père. Elle se souvient de chacune de ses boucles, de chacun de ses cauchemars, des nuits où il se glissait dans son lit, de tous ses bobos, de ses colères, de son premier chagrin d'amour même. Elle l'entend encore rire et faire le pitre, rêver de devenir footballeur ou ingénieur pour leur offrir une maison ailleurs, au soleil, loin des taches de vieillesse du parking.

Elle le revoit ouvrir la porte et l'engloutir dans ses bras, lui faire signe d'en bas de l'immeuble avant de monter dans sa voiture. Elle sent toujours son odeur et la chaleur de ses joues.

Elle a cru ça éternel, sans fin, pour toujours, comme toutes les mères. Aujourd'hui, tout lui paraît si loin.

Elle cherche, elle aussi, sans trouver, le moment où il lui a échappé.

Aurélien se lève.

« Tu sors ? ose-t-elle.

— Oui, je vais me préparer. »

Elle aimerait un baiser, un mot gentil comme ceux d'avant.

Il la laisse sans rien, devant son assiette. Le fromage ne crépite plus. Tout est froid. Comme lui.

3

Chaque soir, contrairement à Aurélien, Chanchal se penche sur sa mère et l'embrasse tendrement. Les yeux fermés, il imagine sa mèche de cheveux gris, la relève délicatement du bout de ses doigts blessés par les épines de rose, respire l'odeur délicate de son front et y dépose un baiser en lui murmurant combien son sourire lui manque.

Sans aucune tristesse, sans aucun regret.

Sa destinée de clandestin lui a appris à s'en passer pour ne pas mourir d'effroi.

Deux principes règlent sa vie : ne jamais se plaindre et surtout... ne pas se plaindre.

Il encaisse les coups, fait le gros dos, laisse passer la vague pour mieux lui permettre de repartir et plie sans rompre comme le roseau, pas celui de La Fontaine, mais l'autre, celui qui se dresse crânement au milieu du delta du Brahmapoutre, où en mai s'engouffrent les cyclones.

À ce double principe, il aime ajouter un ou deux proverbes dont son pays n'est pas avare et grâce auxquels, malgré leur extrême pauvreté, les Bangladais trouvent toujours matière à espérer.

Celui-ci par exemple :

« Quand la rose pique, c'est qu'elle est mal attrapée. »

Ou encore celui-là :

« Si le froid te mord la peau, c'est que tu t'es mal couvert. »

Mais l'allume-feu de ses journées froides, le starter qui l'aide à démarrer chaque matin depuis le jour où, il y a trente ans, il a échoué en France caché dans un conteneur, c'est une petite phrase qu'il se répète sans cesse à voix basse pour se donner le courage d'une journée de plus :

« La douleur d'aujourd'hui te rendra plus fort demain. »

Elle remplace tout ce qui lui fait défaut : un dentiste, du chauffage, un vrai repas de temps en temps, le confort d'un lit et même le sourire de sa mère qui, lentement, malgré ses baisers du soir, s'efface de sa mémoire.

Des proverbes dont Iman, sa compagne, ne saisit pas toujours toutes les finesses. Sans doute est-ce dû au fait qu'elle soit née à Mogadiscio sur la côte des Somalies où les roseaux ne poussent jamais.

Rien ne les prédestinait à se trouver et encore moins à se plaire.

Lui a survécu aux moussons, elle à la sécheresse. Lui croit en Vishnu, elle encore un peu en Allah.

Pourtant, malgré leurs différences, comme deux morceaux de bois flotté, ils s'étaient accrochés l'un à l'autre, une vingtaine d'années plus tôt sur une plage de Houlgate, et depuis se servaient mutuellement de bouée, en s'aidant à surnager dans une Europe où tout le monde cherchait à les renvoyer d'une frontière à l'autre.

Chanchal s'était exilé à l'âge de dix-sept ans, en espérant

nourrir de loin sa famille, mais aussi pour fuir Dacca, où certaines nuits des milices qui n'avaient de musulmanes que le nom clouaient les hindous à leur porte d'entrée et brûlaient leurs maisons.

Iman, à seize ans, le sexe cousu et muselé par les traditions, avait fui la guerre civile accrochée à son père, laissant dans les ruines de sa ville les cadavres de sa mère, de ses deux sœurs et un islam d'un autre âge, à l'odeur nauséabonde, où on lapidait les femmes pour un morceau de peau laissé au soleil.

Pourtant, mille fois au cours de leur périple ils avaient regretté l'enfer laissé derrière eux et pleuré même pour y retourner. Aucun esprit sain ne peut imaginer la terreur qui règne sur ces routes du désespoir, comme aucun esprit sain n'était capable d'imaginer l'horreur qui se dégageait des cheminées des camps. C'est le propre des bourreaux d'inventer des douleurs qui dépassent l'imagination. Ils peuvent ainsi assassiner les mains libres.

Chanchal et Iman avaient tout surmonté, chacun de son côté, survivant cent fois aux dangers avant d'unir leurs solitudes, de fondre leurs deux vies en une pour en faire un alliage indestructible, du moins l'espéraient-ils.

Un bonheur hébergé dans 10,90 mètres carrés très exactement, proche de la rue Amelot, sous les toits, au sixième sans ascenseur, avec une plaque de cuisson électrique qui servait aussi de chauffage, une armoire-lit, un lavabo et des toilettes sur le palier, le tout pour 450 euros par mois, payés à un plombier serbe parti travailler en Allemagne, lui-même sous-locataire d'un Roumain qui trouvait moins cher de vivre dans un Algeco de chantier.

Même sa mère logeait plus grand dans son bidonville

de Dacca. Mais elle n'avait pas chaque soir devant elle, comme lui, le spectacle d'Iman se lavant au lavabo, levant l'une après l'autre ses longues jambes fragiles avec la grâce d'un flamant, pour passer délicatement ses pieds sous le robinet d'eau.

Il aurait pu la peindre et l'exposer au Louvre, où il s'était promené une fois à son bras, sans rien comprendre à toute cette peinture, jusqu'à ce que les rescapés du *Radeau de la Méduse* leur fassent de grands signes de la main du fond d'une salle. Depuis, ils y revenaient régulièrement pour compter les survivants.

Chaque jour, Chanchal remerciait Dieu pour cette chambre minuscule. Grâce à son exiguïté, il ne quittait jamais Iman des yeux. Il ne voulait plus rien voir d'autre de toute façon, ni les plages sans fin du golfe du Bengale, ni les courbes du Gange, ni les abrupts de l'Himalaya, ni même les longs cheveux noirs de sa sœur.

Iman était tout ça, et plus encore. Elle lui suffisait, elle cicatrisait toutes ses blessures.

Il bénissait les hordes de passeurs de l'avoir épargnée du viol et de l'esclavage et parfois même, avec honte, il remerciait les monstres qui sans le savoir l'avaient poussée vers lui.

À elle seule, elle justifiait toutes ses souffrances et tous ses arrachements.

La nuit, Iman usait sa beauté à faire des ménages dans les bureaux d'une compagnie d'assurances.

Chanchal, le midi, faisait la plonge à la cafétéria de la Maison du yoga et le soir vendait des roses aux amoureux des bars et des restaurants du quartier. Chaque dimanche, comme sur la scène d'un théâtre, il installait un guéridon au milieu de leurs 10 mètres carrés, asseyait sa femme, son amour, devant une orangeade et lui offrait une fleur dont il avait soigneusement enlevé les épines.

Paris ne leur offrait pas la fortune, mais après tant d'errements ils s'y sentaient en sécurité, et ça valait tous les salaires du monde. Ils ne craignaient plus ni les exciseuses, ni les négriers, ni les énervés de Dieu. Ils pouvaient se promener sans regarder derrière eux, se tenir la main sans avoir peur de mourir sur un trottoir.

Tous les deux avaient payé cher pour mettre ces milliers de kilomètres entre eux et la barbarie. Alors, chaque soir, avant de partir travailler, ses roses à la main, Chanchal se penchait sur Iman et embrassait son front.

De la fenêtre, elle l'accompagnait du regard, et tous deux, aussi loin qu'ils le pouvaient, comme les naufragés de Géricault, se faisaient de grands signes de la main.

Ce soir-là, les roses étaient blanches, et Iman rouge des promesses de l'amour qu'il allait lui faire à son retour.

4

Karim presse le pas. Surtout ne pas être en retard. Il a beau ne plus prêter attention à Allah, il craint toujours l'imam. C'est comme ça.

Même quand on fait tout pour l'oublier, la parole de Dieu laisse des traces. Aucun détachant n'est efficace contre ces auréoles, elles sont indélébiles, incrustées au plus profond de nos mémoires. Elles refont sans cesse surface, vous rappellent les professions de foi murmurées à l'oreille, les croix huilées sur le front, la violence d'une circoncision.

Dieu est un pitbull, il ne lâche jamais. Il vous traque avec l'acharnement d'un vigile de supermarché. Ses commandements vous poursuivent comme des caméras de surveillance, elles vous rattrapent n'importe où, n'importe quand. C'est brutal, soudain. En une fraction de seconde, l'alcool retrouve un arrière-goût d'interdit, la masturbation redevient un geste coupable, même à cinquante ans.

Son père l'avait prévenu. Dieu garde un œil sur lui.

Il se croyait affranchi de cet esclavage, il n'a fait que rallonger les chaînes. Elles traînent derrière lui. Il entend chaque maillon rayer le goudron, et plus il avance vers la mosquée, plus il redoute le pincement des gros doigts de Barbe rouge sur sa joue.

L'imam est un homme rond. Il porte la barbe en broussaille et la moustache fine des salafistes, ces musulmans pour qui l'islam se résume à l'application stricte du Coran, débarrassée de toute interprétation.

Le texte à la lettre. La parole du prophète telle qu'elle a été révélée il y a plus de mille quatre cents ans à un seul homme, Mahomet, en un seul lieu entre La Mecque et Médine, en une seule langue : l'arabe. Un point, c'est tout. Le reste, d'après eux, est perversion et responsable de tous les malheurs dont sont accablés aujourd'hui les musulmans. Une rigueur qui contraste avec son ton affable.

Il prêche debout sous une grosse horloge.

La mosquée est pleine. Au balcon : les femmes, invisibles, ragotent sous leur voile.

Dans la salle à l'odeur déjà âcre, les hommes sont alignés en un mélange subtil de casquettes de marque, portées à l'envers, et de kamis, ces longues tuniques en coton, symboles d'une foi revendiquée sans concession.

Karim s'intercale discrètement entre une visière Nike et une visière Vuitton.

L'imam parle sans micro.

« Mes frères, je voudrais commencer ce prêche par une question. »

Les visages s'inquiètent.

« Combien d'entre vous sont vraiment dignes d'être là devant moi aujourd'hui ? »

Les kamis toisent les casquettes. Karim a déjà mal d'être assis en tailleur.

« Très peu », reprend l'imam.

Il laisse l'effet d'un silence.

« Parce que le vice est inné chez l'homme et qu'il est difficile d'y échapper. »

Quelques vieux confessent leurs faiblesses en dodelinant de la tête, les yeux mi-clos.

« Mais ne vous croyez pas pardonnés pour autant. Car Allah nous donne à tous le choix d'être pieux ou décadent ! »

À l'évocation du nom de Dieu, les kamis se lissent la barbe des deux mains en signe de respect.

L'imam les imite, lève les mains et les yeux au ciel et continue.

« C'est vrai qu'en France il est difficile d'être un bon musulman, et savez-vous pourquoi ? »

Personne n'ose de réponse.

« Parce qu'en France le vice est partout. »

Il martèle son dernier mot.

Un brouhaha d'indignation monte des rangs kamis.

« Ici, pour vendre des télévisions, on affiche des femmes nues ! Pour vendre du beurre, on affiche des femmes nues ! Pourtant, il y a encore cinquante ans, il y avait des écoles de filles et des écoles de garçons dans ce pays ! Il existait encore en France une certaine pudeur et certaines valeurs ! »

Le brouhaha gagne l'étage des femmes.

L'imam le laisse mourir tout seul et reprend.

« La pudeur, c'est un don d'Allah. »

Les voiles acquiescent dans un bruissement.

« Aujourd'hui, quand nos sœurs se couvrent la tête, on les traite d'intégristes et d'arriérées. Mais qui sont les arriérées ? Celles qui portent le hijab ou celles qui s'affichent à moitié nues pour des sites de rencontres ? »

Les kamis se redressent, prêts à défendre leurs sœurs.

L'imam les calme d'une main tendue et s'adresse au balcon.

Toutes les casquettes se retournent en espérant croiser un regard.

« Mes sœurs, vous avez toutes vu ces femmes dandiner des fesses dans la rue. »

Il joint le geste à la parole et déclenche les rires.

« C'est le diable qui secoue leurs derrières ! »

Il redevient grave.

Le ton fait son effet. Les rires cessent.

« Chaque fois qu'une femme sort de chez elle, mes sœurs, Satan et un ange l'attendent devant sa porte. Si elle marche de façon pieuse, c'est l'ange qui l'accompagne. Si elle marche de façon décadente, c'est Sheitan, le diable, qui se glisse dans ses parties intimes. »

Le balcon s'enflamme.

Karim pense soudain à Charlotte et à sa jupe boules de glace. À l'heure qu'il est, elle doit chalouper vers le Zébu Blanc, le diable au corps.

L'imam a déjà abandonné le balcon et s'adresse à nouveau aux casquettes et aux kamis :

« Le diable est rusé. Il embellit les interdits pour que vous cédiez à la tentation. Il leur donne des noms anodins. Vos filles, par exemple, vous demandent la permission de "sortir" avec un copain et vous allez être tenté de dire oui. Après tout, tout le monde "sort" et "rentre" dans la journée. Mais c'est un piège du diable. "Sortir", c'est "forniquer", et elles rentreront, mais salies, impures, indignes de vous et surtout de Dieu. »

Il laisse aux mots le temps d'imbiber les esprits.

« C'est pareil pour vos garçons. Ils sont gentiment invités à prendre "l'apéro". »

Il fait mine de vider un verre. Ça lui va mal.

« C'est vrai que ça à l'air sympathique comme ça de "prendre l'apéro". »

Il tonne à nouveau.

« Mais c'est un autre piège du diable pour faire boire nos frères et leur faire perdre le sens du bien ou du mal ! »

Les casquettes baissent la tête pour ne pas croiser son regard.

« Ô les croyants, dit le Coran, l'alcool est une abomination, une œuvre du diable. Écartez-vous-en, afin que vous réussissiez. Savez-vous, mes frères, qu'il y a plus de cas d'adultère, de viol, d'inceste et de sida chez les alcooliques ? »

Il ajuste sa première banderille.

« Pour les Français, tout ça est normal. Chaque soir, ils "prennent l'apéro" et, à dix-huit ans, si leurs filles ne sont pas "sorties" avec des garçons, ils les emmènent voir un psy. Le problème, c'est que nous, les musulmans, nous commençons de plus en plus à raisonner comme eux, à nous éloigner d'Allah. Et ceux qui s'éloignent de Dieu sont les vrais pervers. »

Le portable de Karim vibre dans sa poche. C'est un texto de Charlotte.

« Alors ? Converti ? »

Il veut lui répondre que tout ça n'a aucun sens, qu'il n'a pas envie de faire bénir son enfant par un imam à l'esprit aussi étroit que la petite jupe qu'elle offre au diable pour qu'il l'accompagne ce soir, même pour faire plaisir à son père, même pour s'éviter les larmes de sa mère, mais un kami l'excommunie d'un regard noir au moment où l'imam plante enfin sa deuxième banderille.

Celle-ci est pour lui. Il la sent lui transpercer la nuque.

« Alors, ordonne l'imam du doigt, vous tous, mes sœurs, mes frères, si vous entendez dire d'un musulman qu'il est "intégré", qu'avec lui "il n'y a pas de problème", inquiétez-vous et sauvez-le de Sheitan, aidez-le à retrouver le chemin de la mosquée. C'est votre devoir de croyant. » À nouveau, Karim a la désagréable sensation d'avoir une paille plantée dans le cerveau.

L'imam le fait asseoir en face de lui. La pièce est presque nue. Il vide un verre d'eau et s'assoit à son bureau, sur lequel trône un Mac Book Air tout neuf.
« Vous permettez ? »
Il consulte ses mails.
Un kami entre et leur sert un thé vert sucré.
C'est une de ces montagnes de muscles comme on en croise dans les salles de sport low cost. Il porte le kami et le pacol, le chapeau à bords roulés des combattants afghans.
« Je vous présente Assan, dit le vieux, il étudie l'arabe pour devenir imam bénévole.
— Si Dieu le veut ! » grommelle la masse.
Sur le mur est inscrit un verset du Coran.
« Vous lisez l'arabe ? demande l'imam sans lever les yeux.
— Non », lui avoue Karim.
Il regrette de ne pas avoir appris. Son père a pourtant essayé.
« Ça veut dire : "Dieu ne modifie rien en un peuple, avant que celui-ci change ce qui est en lui." »
Assan apprécie de la tête, rend gloire à Allah et sort.
« En d'autres termes, explique l'imam, les changements doivent venir des musulmans eux-mêmes et ce n'est qu'après que Dieu les aidera. »

Il avale une gorgée de thé brûlant et reprend.

« C'est ce que pensait Sayyid Jamāl Al-Dīn Al-Afghani, l'un des pères du salafisme. »

Karim se brûle.

« Vous avez entendu parler de lui ? »

À nouveau, il doit avouer son ignorance.

L'imam en est ravi.

« Il conseillait aux musulmans de puiser dans la richesse de leur culture et de leur religion la force de résister à l'Occident. C'était révolutionnaire à l'époque. Avant lui, les dirigeants des pays arabes, pour la plupart des despotes éclairés, croyaient au contraire que c'était en copiant les Européens que l'islam pourrait leur résister. »

Il ferme son ordinateur et le regarde enfin.

Karim le trouve sans grâce, sauf son regard. Il a quelque chose de troublant. Contrairement au reste de son corps avachi, il a gardé son tranchant, comme une lame effilée dans un vieux fourreau.

« Vous savez qu'Al-Afghani est venu à la Sorbonne en 1883 donner une conférence sur l'islam et la science devant des intellectuels français ? »

Karim ne savait toujours pas.

« Eh bien, pour l'occasion, Ernest Renan, votre grand philosophe académicien, s'est fendu d'un compliment sur les musulmans. Pardonnez-moi, je le cite de mémoire, mais il a déclaré qu'il fallait "être aveugle pour ne pas voir l'infériorité et la décadence des États gouvernés par l'islam, et la nullité intellectuelle des races qui tiennent uniquement de cette religion leur culture et leur éducation". »

Karim s'offusque.

« C'est idiot ! »

Les yeux tranchants de l'imam s'éclairent de son premier sourire.

« C'est pourtant ce que la majorité des gens pensent encore de nous aujourd'hui. »

Karim est mal à l'aise. Combien d'Ernest Renan de comptoir n'ont longtemps vu en son père qu'un Arabe, inférieur, nul et décadent ?

Assan revient.

Le vieux repousse sa tasse vide vers lui.

« Vous avez encore besoin de moi ? demande-t-il, j'ai un rendez-vous important ce soir.

— Non, merci Assan, le chauffeur me reconduira. »

Il transpire l'autorité.

Ils sont à nouveau seuls. L'imam s'enfonce dans son fauteuil.

« Alors venons-en à ce qui t'amène. »

Il est brusquement passé au tutoiement.

« Tu vas avoir un enfant et voudrais une sorte de bénédiction, c'est ça ? »

Karim est stupéfait. Encore une paille dans son cerveau !

Le vieux savoure.

« Rassure-toi, je ne lis pas dans les pensées, mais c'est ce que viennent me demander pratiquement tous les jeunes que je ne vois jamais à la mosquée et qui ne portent ni casquette à l'envers ni kami. Tu es croyant ? » ajoute-t-il aussitôt.

Karim hésite.

« Oui, mais pas pratiquant. »

Le vieux lui fait son deuxième sourire.

« Ce n'est pas une option dans l'islam. Chez les chrétiens oui, mais pas chez nous. Si tu prononces la chahada, tu es musulman, si tu es musulman, tu pratiques, si tu ne pratiques pas, tu pratiqueras un jour, ce n'est qu'une question de temps, Allah n'est pas pressé. »

Il laisse un grand silence dont Karim ne se saisit pas.

« Alors faisons autrement, dis-moi plutôt ce que tu veux pour ton enfant, quels principes tu aimerais lui donner dans la vie. »

Karim déteste ce moment. Il voudrait voir entrer Charlotte, et le diable derrière elle. Après tout, c'est son idée tout ça. Lui a grandi sans grande notion de fraternité. Il a passé une large partie de sa vie à se faire traiter de sale Arabe par des connards de souche, et de mauvais musulman par des abrutis des première, deuxième et troisième générations. Alors qu'ils aillent tous se faire foutre.

« Je ne sais pas, moi, finit-il par dire, l'honnêteté, le respect, la tolérance, comme tout le monde ! »

L'imam se redresse.

« Alors fais-en un musulman. »

Karim cherche une trace de tolérance dans le prêche de tout à l'heure. Il n'en trouve aucune, au contraire. Il n'ose pas lui dire

« Non, se contente-t-il de répondre, vous l'avez dit, la France est un pays trop difficile pour les musulmans.

— Personne n'a jamais dit que le chemin de Dieu devait être facile. Tu connais des sommets sans effort ?

— Non, admet Karim. Mais j'aime bien prendre l'apéro.

— Alors, fais-en un chrétien, propose l'imam, la Bible n'interdit pas l'alcool, juste l'ivresse. Ils en boivent même à la messe. »

Karim sourit.

Un point pour les chrétiens.

« Ou même un juif si tu veux, reprend l'imam, mais

fais-en quelque chose. Une bénédiction entre un curé et moi n'en fera rien de bien. »

La proposition le surprend.

« Qu'est-ce qui t'étonne ? Que je préfère en faire un chrétien ou un juif plutôt que rien ? »

Karim acquiesce.

« C'est parce que tu regardes trop la télé ! Tu confonds kami et kamikaze. Comme tout le monde. Le Coran, c'est le prolongement de la Bible et de la Torah, on y salue juifs et chrétiens. Ils sont considérés comme des peuples du Livre. Nous leur devons le respect et la protection. Tout musulman qui t'affirme le contraire ne mérite pas de mettre un pied dans ma mosquée. »

On frappe à la porte. Le chauffeur entre. Le vieux se lève et enfile une parka.

« Karim aimerait que le curé et moi bénissions son enfant », lui explique l'imam.

Le chauffeur lui jette un regard noir.

« Il n'y a de Dieu qu'Allah et Muhammad est son messager », dit-il.

Karim sent brusquement sa joue le brûler.

Charlotte remonte le quai de Valmy en direction de la rue Beaurepaire. Elle a réservé de justesse trois places en terrasse au Zébu Blanc. C'est vendredi soir, il fait un temps de Californie et les trottoirs débordent d'apéros. Le leur s'est éternisé. Mathilde est sortie avec une coupe de champagne dans chaque main. C'est sa troisième. Elle s'accroche au bras d'Aurélie.

L'air fleure le printemps.

Elles chaloupent dans leurs jupes boules de glace. Les

trois mêmes : anis pour Charlotte, fuchsia pour Aurélie, citron pour Mathilde.
Deux scooters tournoient autour d'elles tels des drones. Des gosses de cité venus pêcher le gros à Paris. Elles s'en foutent ; elles chantent Christine and the Queens.

On ne tient pas debout
Le champ' coule sur nos mains
On ne tient pas debout
Sous nos pieds le champ' revient

C'est horriblement faux, mais elles sont heureuses. Il y a tellement entre elles. Une amitié de lycée et tout ce qui va avec : les fous rires, les engueulades, les arrachages de mecs, les baisers entre filles et les sorties attentats à la pudeur, à rendre les garçons aveugles, comme ce soir.
Dans sa muleta fuchsia, Mathilde excite les taurillons sur leurs scooters.
Le massacre de Christine and the Queens continue en chœur. La chorégraphie est désarticulée.

Nous, on est de sortie
Pire qu'une simple moitié
On compte à demi-demi
Pliées sur les bas-côtés
Comme des origamis

« Non, orgasme ! » hurle Charlotte.
Elles vident les coupes.
Aurélie enlève ses chaussures et massacre son couplet en solo :

J'fais tout mon make-up
Au mercurochrome
Contre les pop-up qui m'assurent le trône

Elles s'arrêtent, essoufflées, en rires, s'attrapent, s'embrassent. Elles s'aiment ; tout le monde le voit, elles savent que rien ne sera jamais comme leur amitié, elles se la jurent pour toujours.

Aurélie et Mathilde veulent toucher son ventre.

Les drones décrochent, dégoûtés. Ils partent rabattre ailleurs. C'est trop mal parti.

Charlotte soulève son top. Son corps a déjà changé. Mathilde se souvient des coussins qu'elles glissaient sous leurs pulls dans leurs chambres d'ado. Elles sont heureuses pour elle.

La Charlotte du brevet, des escapades à La Teste-de-Buch, du permis raté, des concerts de Raphael, la Charlotte des week-ends de révision les ongles peints pour égailler les liasses de polycopiés, la Charlotte au sourire à vous ensoleiller un 12 mètres carrés sur cour au rez-de-chaussée, leur Charlotte, va être maman.

Aurélie lui en veut un peu.

« C'est dégueulasse, on s'était promis de tout faire ensemble », grogne-t-elle.

Mathilde propose de le baptiser toutes les trois, là, maintenant.

Charlotte pense à Karim en train de négocier. Finalement, c'est la meilleure solution. Une bénédiction au champagne et à l'amitié.

Elles lui versent le dernier fond d'une coupe sur le ventre et la masse doucement.

Charlotte veut une photo.

Un homme remonte vers elles du coin de la rue Beaurepaire.

Elles hurlent. Il approche. Il a les bras chargés de roses rouges.

Elle lui échange contre le portable de Charlotte.

« Vous pouvez nous prendre ? »

Il ne comprend pas tout de suite.

Elles prennent la pose, le bouquet de roses posé sur le ventre de Charlotte.

« Attention, sourire ! » leur dit-il.

C'est la première fois qu'il tient un téléphone si fin. Il se dit qu'en leur demandant gentiment elles le laisseraient sûrement entendre la voix de sa mère. Ça fait si longtemps, mais il n'ose pas. Il prend la photo.

« Une autre ! » réclame Charlotte.

Elle lève les bras et brandit le bouquet. Mathilde et Aurélie la tiennent par le ventre.

Il déclenche.

Elles lui sautent au cou et l'embrassent.

C'est la première fois qu'il touche la peau des femmes d'ici. Elle est douce comme les tissus de chez lui.

Il rougit.

« Comment vous appelez-vous ? demande Aurélie.

— Chanchal », répond l'homme timidement.

Elles lui font répéter.

« C'est joli », trouve Mathilde en lui donnant un autre baiser.

Chanchal sursaute. Le téléphone de Charlotte vibre dans ses mains. Elle lui rend les roses. C'est un texto de Karim :

« C'est mort. Je t'expliquerai. Je vais essayer de passer. »

Le vendeur de roses a déjà disparu.

La mère d'Aurélien tourne en rond dans la cuisine. On dirait un chien inquiet. Sur la table de sa chambre,

il a posé ses deux cachets, sa gaine et son maquillage.
Il est prêt. Il n'attend plus qu'un texto.
Dehors, les salons s'allument un à un de leurs télés.
La Chinoise s'est avachie dans son canapé. Chez les
Kabyles, on se goinfre avec les doigts. Il vérifie la puce
de son téléphone.
« Aurélien ? »
Elle l'appelle toutes les cinq minutes.
« Quoi ?
— Tu veux que je te fasse du thé ?
— Non, merci.
— Mais tu n'as rien mangé !
— Je mangerai dehors. »
Son téléphone bipe. L'écran s'allume.
« Salut, toi ! »
C'est lui. Son cœur s'emballe.
« Je croyais que tu m'avais oublié. »
L'autre : « T'es fou, toi, je suis trop chaud. »
Lui : « On se voit toujours ? »
L'autre : « Bien sûr. »
Lui : « Où ? »
L'autre : « Comme prévu, pas loin de l'entrée. »
Lui : « Tu t'es fait beau, j'espère. »
L'autre : « Oui, t'inquiète, tu vas aimer. Et toi ? »
Lui : « Je suis à poil, j'allais me maquiller. »
L'autre : « J'ai hâte de te voir. »
Lui : « Tu veux une photo ? »
L'autre : « Non, je préfère attendre. »
Lui : « Et les cachets ? »
L'autre : « Quoi ? Tu ne les as pas ? »
Lui : « Si, mais ça met combien de temps à faire
effet ? »

L'autre : « Prends-les maintenant, tu seras en pleine forme tout à l'heure. »

Lui : « OK. Putain, ça va être chaud ! »

L'autre : « Tu n'imagines même pas... »

Lui : « J'en peux plus d'attendre. »

L'autre : « Alors ramène vite ton cul. »

L'écran s'éteint. Il se sert un verre d'eau, avale les cachets, s'habille délicatement, passe une parka et sort de sa chambre.

Sa mère est toujours assise devant son endive froide. Elle le trouve empâté.

« Je me demande comment tu peux grossir comme ça sans rien manger... »

Toujours son obsession de la bouffe.

« C'est le manteau », répond-il simplement.

Elle lève les yeux au ciel.

« Mais tu as vu le temps qu'il fait ?

— Je viens de Grèce, maman, j'ai froid ici. »

Il pose ses clefs et ses papiers sur le buffet.

« Je ne prends rien, ça vole dans les soirées. Laisse la porte ouverte. »

Il vérifie qu'il a bien ses cigarettes.

« Mais je rêve ou tu es maquillé ? »

Elle se lève pour le voir de plus près.

Aurélien l'arrête net.

« Ne me touche pas ! »

Il lui a fait peur.

« C'est une soirée costumée ! »

Elle a l'impression qu'une fraction de seconde il la regarde comme avant.

« Tu rentres tard ? »

Il la trouve au bout de la vie.

« Pourquoi tu poses toujours les mauvaises questions, maman ? »

Il n'est déjà plus là. Elle est heureuse quand même. Il lui a laissé quelques miettes, il l'a appelé « maman » comme quand il était son enfant.

Le propriétaire du Zébu Blanc les guide entre les tables. La terrasse déborde sur le trottoir. Dans la file d'attente, une trentaine de jeunes diplômés, serrés comme des quilles de bowling, désespèrent de flamber leur paye en tapas et en happy hour.

« C'est de la folie ce soir, j'ai deux anniversaires », dit le patron en les plaçant.

Le serveur leur tend déjà trois coupes de champagne.

« J'ai appris. Félicitations ! »

Il embrasse Charlotte.

« Karim n'est pas là ? »

Elle lève son verre et trinque avec les filles.

« Non, heureusement... »

Une brise monte du canal Saint-Martin. On se croirait aux îles. Son dos lui fait un peu mal, elle penche la tête en arrière. Les toits crénelés des immeubles découpent le ciel en une multitude de pièces de puzzle. Elle ferme les yeux de bonheur. C'est drôle comment le hasard d'une rentrée scolaire vous fait asseoir à côté de gamines qui grandissent et deviennent des femmes avec vous, pense-t-elle.

« À tout ce qu'on est déjà, et à tout ce qu'on va devenir », propose Aurélie.

C'est la plus douée des trois. La plus outrageusement belle aussi. À trente ans, elle a son propre cabinet d'architecte. Petite, elle voulait déjà transformer la dune du Pilat en château de sable. Dans deux jours, elle s'envole à Shanghai pour un projet d'opéra.

« À nos enfants, en espérant qu'ils nous fassent moins chier que ce qu'on a fait chier nos parents ! »

Mathilde sait de quoi elle parle. Toute sa vie n'a été que ruades. Un véritable rodéo. À l'école, en amour, au travail, elle désarçonne tout le monde, sauf ses deux vieilles copines, avec des hauts et des bas et de longues fugues dans des paradis glauques. À la grande surprise des filles qui s'entêtaient à lui trouver un homme, c'est finalement une femme qui l'a domptée. Le torrent qui coulait dans ses veines est redevenu un fleuve tranquille. Elles ont ouvert ensemble une boutique de fleurs et une Américaine porte même leur enfant, mais Mathilde n'en a parlé à personne, du moins pas encore, c'est la surprise de ce soir.

Aurélien est à l'heure. Il transpire dans sa parka. L'autre s'est garé à l'angle du quai de Valmy et de la rue Beaurepaire. Un bloc de muscles encastré dans le siège avant. Il est impressionné.

Aurélien se glisse à la place du passager. Il s'est rarement senti aussi bien. Il éprouve même le sentiment d'être au-dessus de tout. Il n'a aucune appréhension, au contraire, il se sent libre comme il ne l'a jamais été. Il se sent invincible.

« Ce sont les cachets. Tu vas voir, tu ne vas pas débander de la soirée.

— On fait quoi maintenant ?

— On fignole. Ce soir, il faut être présentables, c'est important. »

Il fouille dans un sac.

« C'est quoi ?

— *Extrême*, de Hugo Boss. »

Au même instant, Chanchal traverse devant la voiture et croise leurs regards. Les parkas l'inquiètent, mais le parfum le rassure. Ce ne sont pas des flics. Le plus petit des deux le suit des yeux. Il a l'impression qu'ils sont maquillés. Il baisse la tête et remonte en direction du Zébu Blanc pour éviter les histoires. C'est une mauvaise adresse pour un vendeur de roses. Il ne s'y arrête jamais. Ces jeunes-là n'offrent pas de fleurs, ils les envoient par Instagram.

À la terrasse, le garçon apporte les plats. Charlotte a renoncé aux crevettes sauce paprika, c'est plus sérieux. Déjà que le champagne...

Entre deux bouchées de saint-jacques à la mangue, Mathilde leur annonce la nouvelle.

« Quoi ? s'exclame Charlotte, mais c'est génial. C'est pour ça que vous allez tout le temps à Minneapolis ! »

Mathilde lui montre une photo. Elle est assise dans l'herbe à côté d'une jeune femme au ventre déjà bien arrondi.

« Et elle accouche quand ?

— Dans trois mois. »

Elles s'embrassent.

« C'est drôle, j'ai l'impression d'avoir grossi aussi », dit Mathilde.

Aurélie masque un peu. Pour la première fois depuis qu'elles sont amies, elle regrette d'être celle qui a le ventre le plus plat. Elle a brusquement le sentiment de ne pas être sur la même ligne de départ.

Charlotte aperçoit Chanchal. Elle hurle son nom en lui faisant de grands signes. Il met quelques secondes à réagir. Personne ne l'appelle jamais comme ça.

Il a envie de fuir. Les femmes d'ici sont trop agitées.

Charlotte agite un billet. Elle veut leur offrir des roses pour l'événement.

C'est tentant. Demain, Iman aura quarante et un ans et il voudrait lui offrir un vernis à ongles. Assan, son père, vient manger chez eux.

Il force sa pudeur et se fraye un chemin jusqu'à leur table en espérant qu'elles ne se jettent pas à son cou.

Il leur choisit les plus belles fleurs. Chez lui, dit-on, elles doivent être fermées mais prêtes à s'ouvrir, comme une jeune promise.

Planté au milieu des tables, entouré de gamins qui fument plus qu'il ne gagne, brusquement un immense découragement le submerge à la vitesse des vagues qui désespèrent son pays. Le Bangladesh lui manque. Jamais plus, croit-il, il ne sentira sa moiteur, condamné pour toujours à buter contre ces façades haussmanniennes, imprenables, gardées de codes et d'interphones, et dont les portes lui restent fermées.

Karim aussi désespère. Son RER s'est arrêté brusquement entre La-Plaine et Gare-du-Nord. Personne ne sait pour combien de temps. Un colis suspect sur la voie ou un SDF mort, disent les gens.

Chacun fait les comptes de ses rendez-vous perdus.

Il n'est qu'à deux arrêts de Jacques-Bonsergent et de la jupe boules de glace.

La station porte le nom d'un jeune homme sans histoire qui, en balade sur le trottoir de la gare Saint-Lazare, la veille de Noël 1940, fut la première victime civile de la barbarie nazie à Paris.

Un nom comme le sang banal d'une coupure
Un nom trop simple pour qu'on s'en soit souvenu

Un nom dit sans penser comme un verre d'eau pure
Un nom tout fait qu'on peut donner aux inconnus

a écrit Aragon.

Le métro est plein d'histoires comme ça. Il les apprend par cœur. C'est son encyclopédie.

Son train repart. Karim se dit qu'il a de la chance de vivre dans le Paris d'aujourd'hui.

Aurélien remonte la rue Beaurepaire jusqu'au Zébu Blanc. C'est l'heure des premières additions. Une table se lève. La femme titube, le frôle. Satan lui colle aux fesses et aux cuisses.

Debout au milieu de la terrasse, Chanchal s'impatiente, les filles cherchent de la monnaie. Il voudrait leur offrir les roses et s'en aller, mais il pense au vernis d'Iman. Elles fouillent leurs sacs, les doigts engourdis par le champagne. Derrière lui, Aurélien s'est figé sur le trottoir. Il examine les visages. C'est l'heure où les filles rient et fument, où les garçons sirotent un dernier verre en mangeant leurs lèvres des yeux.

Ils ont son âge.

Aurélien cherche un signe qui l'inspire, croise le regard de Charlotte, l'abandonne, dévisage la table d'à côté, passe à celle de derrière où deux garçons se murmurent des gentillesses à l'oreille, puis revient vers elle et sa jupe attentat.

Elle l'aperçoit. Il apparaît et disparaît chaque fois que Chanchal se balance d'un pied sur l'autre, agacé d'être encore là.

Elle le trouve étrange, se demande ce qu'il peut bien attendre et qui il peut être. Un jongleur ou bien un cracheur de feu ? Son regard la met mal à l'aise. Elle tire sur sa jupe. Il aperçoit le haut de ses cuisses et se dit que c'est le signe qu'il attendait.

Charlotte le voit lentement pointer le bras dans sa direction. Un bruit de claquement de porte, plus sec et métallique, l'assourdit. Aurélie sursaute à ses côtés. Charlotte tourne son regard vers elle. Elle n'a plus de tête. La moitié de son visage pend sur sa poitrine, qui respire encore un peu. L'autre s'est émiettée sur les genoux de Mathilde, qui se lève d'un bond comme si elle avait renversé son verre.

À nouveau des portes claquent, avec une odeur de poudre cette fois. Une, deux, trois fois. Mathilde hoquette et vacille. Elle ne tient pas debout, du sang coule sur ses mains.

Les conversations s'arrêtent. Mathilde s'écroule. D'un geste presque gracieux, Aurélien balaie la terrasse d'une rafale.

Les corps tombent et s'enchevêtrent, pliés sur les côtés comme des origamis.

Ceux qui ont compris rampent se cacher sous les morts. Les autres meurent à table au milieu d'une conversation.

Ça sent le sang, l'alcool et le café renversé. Le téléphone de Charlotte vibre. C'est un nouveau texto de Karim : il arrive à Bonsergent.

Elle essaye de lui répondre, mais ses doigts tremblent et elle lâche l'appareil. Il atterrit dans la main d'une morte de vingt ans. Elle a encore de la chantilly sur les lèvres.

Charlotte se couche pour le récupérer. Sous les tables,

toutes les robes sont fuchsia de sang. L'homme avance toujours vers elle, décapsulant les crânes au hasard.

Aurélien n'éprouve rien, ni peur, ni douleur, ni angoisse. Les deux cachets de Captagon ont saturé son cerveau de messages de satisfaction. Il est totalement désinhibé. La mort n'est plus une interdiction. Il peut tuer ou se faire tuer, ça n'a aucune importance.

Lui aussi va mourir. Il s'y est préparé. À la manière des guerriers afghans, il s'est parfumé et maquillé les yeux pour se présenter devant Dieu. Dans la doublure de son manteau, il a cousu une phrase du prophète.

« Je voudrais combattre pour Allah et être tué. »

Il traverse la bande-annonce de sa nouvelle vie en enjambant les corps déchiquetés, les regarde, vide de tout remords, comme un mort-vivant.

Chanchal connaît bien ces yeux-là. Il les a croisés à Dacca les nuits où on clouait les siens sur les portes des maisons. Comment ont-ils pu le suivre jusqu'ici, le rattraper ? Par quelle ironie, au nom de quel destin ? Il va mourir sur cette terrasse, entre deux nappes, les fleurs à la main, après tout ce qu'il a traversé, la suffocation dans les containers, la puanteur des squats, les coups de bottes des nazillons.

Il pense à Iman. Comment va-t-elle survivre seule dans son petit décor de théâtre, qui va la réchauffer, qui va lui raconter la mousson, elle qui n'a connu que les terres brûlées ?

Aurélien enjambe la serveuse. Elle serre son pied arraché entre ses mains. Il la rassure d'un sourire et s'arrête au-dessus d'elle devant les deux garçons qui se murmuraient des gentillesses à l'oreille.

Ils font les morts, pas assez. Il n'a besoin que d'une

seule balle tellement ils sont serrés l'un contre l'autre. Elle perfore leurs deux crânes et calme instantanément leur peur.

Chanchal ferme les yeux et attend. Il n'a plus la force de rien. Il a tout dépensé sur la route et ne pensait pas en avoir besoin ici. Il sent le froid du métal sur son front, respire une dernière fois l'odeur des cheveux d'Iman, et plus rien.

Dans la salle du restaurant, l'autre vide aussi ses chargeurs.

Étrangement, la musique ne s'est pas arrêtée.

Charlotte serre Mathilde et Aurélie dans ses bras. Elles collent. Elles auront tout fait ensemble, même mourir.

Le bébé lui donne de grands coups de pieds comme s'il voulait essayer de s'en sortir sans elle. Elle aimerait s'ouvrir le ventre pour lui donner une chance.

Elle le calme en respirant comme on lui a appris. Elle tend la main vers la morte à la chantilly et lui reprend son téléphone pour entendre Karim.

Les touches sont couvertes de sang, elle n'arrive pas à faire le numéro.

L'homme est tout près maintenant. Les cris se sont tus. Elle l'entend respirer. Il s'est arrêté. Il écrase calmement les assiettes et les verres tombés sous la table d'à côté.

Il délire, parle d'endives, de Chinoise, d'anguilles.

Pour la première fois, elle pleure. Elle n'a pas peur de mourir mais du mal que ça va faire à son enfant. Il faut qu'elle le calme, qu'elle le rassure.

Elle pense à Freddy Mercury, à sa chanson du bonheur, à l'équation du chercheur de l'université de Groningue, aux cent cinquante battements par minute, à la gamme majeure et à la confiance qu'elle inspire.

Elle se dit que, peut-être, ça apaisera sa folie à lui aussi.
Alors, entre deux sanglots, elle essaye.

Ce soir, je me sens vivante
Je vais mettre le monde à l'envers
Je flotte tout autour en extase
Ne m'arrêtez pas tout de suite
Je vous en supplie, laissez-moi m'amuser

Aurélien l'a rejointe. Elle continue d'un souffle de voix.

Je suis une étoile filante
Une voiture de course
Je voyage à la vitesse de la lumière

Il pose son arme sur une table, déboutonne sa parka
et lui couvre délicatement les épaules avec.
Charlotte le supplie des yeux.

Je file, je file, je file
Personne ne peut m'arrêter

Il porte une gaine sur laquelle il a cousu une dizaine
de boudins reliés par des fils scotchés à son bras,
jusqu'à un petit tube surmonté d'un bouton-poussoir
qu'il tient dans sa main.

« Je vous en prie, supplie-t-elle, s'il vous plaît, monsieur, laissez-moi m'amuser. »

Elle entend une sirène de police.

« Tu n'es pas ma sœur, lui dit Aurélien, je suis un
martyr et les martyrs sont les lumières de l'histoire. »

Elle est surprise. Sa voix est si douce.

5

Karim arrive après les sirènes. Deux voitures de police barrent la rue Beaurepaire à hauteur du carrefour avec la rue Yves-Toudic.

Une jeune femme se harnache d'un gilet pare-balles et court en direction du quai de Valmy. L'explosion a jonché le sol de vitres brisées. Elle glisse. Son arme heurte un trottoir. Elle se rattrape et la ramasse.

Aux balcons, incendiés par les gyrophares, on se casse en deux pour voir.

Un camion noir et anguleux de la BRI dégueule ses hommes cagoulés et ses caisses de matériel.

« C'est quoi ? » s'inquiète Karim.

La police criminelle dresse une tente et une deuxième rangée de barrières.

Un guerrier repousse Karim de son bouclier, lui ordonne de reculer. Trois ambulances passent les barrages et s'arrêtent plus haut en embrasant la rue.

Les deux drones remontent du quai. Les barrières s'entrouvrent à nouveau. Le plus jeune est blessé à la jambe. Un brancardier l'allonge. Le deuxième est menotté.

« Putain, mais vous faites quoi là ? »

Un flic fouille ses poches et lui demande d'où il vient.

Karim attend le K.-O.

« Du Zébu Blanc, mon frère, c'est un carnage là-bas. »

Le coup le sèche debout.

Une femme sortie de chez elle en robe de chambre l'aide à s'asseoir. Il n'a plus de jambes.

« Charlotte est là-bas », répète-t-il, sonné.

Rue Toudic, on évacue le théâtre de l'Alhambra pour accueillir les blessés. Charlotte et lui ont visité celui de Grenade. Le souvenir des jardins lui fait monter les larmes aux yeux. Il aimerait toucher son ventre, les sentir vivre tous les deux.

Ses doigts composent une nouvelle fois son numéro. Rien.

Les fans de Sales Majestés, le groupe punk évacué, sortent en horde. À la vue des uniformes, ils se ruent sur les hommes de la BRI en hurlant le refrain interrompu de leurs idoles : « Ni Dieu, ni maître, ni seigneur, ni prophète. »

Les matraques dispersent la ligne de crêtes.

Dans le hall du théâtre, au pied de l'escalier Arts déco, sous les rampes de cuivre rose, les premiers corps troués s'affalent.

Des visages jeunes et pâles, terrorisés, à la recherche d'autres visages, désespérément absents, des amoureux, des amies, des voisins de table. Ils ont encore le goût du vin aux lèvres. Sans se connaître, ils se tiennent la main pour faire durer l'espoir, les yeux fixés sur la grande porte à battants.

Deux ambulanciers entrent et hurlent. Il leur faut des poches de sang et des sacs pour les corps.

Les morts et les amputés sont restés en terrasse. Des dizaines, les entend dire Karim.

Un pompier découpe le corsage d'une adolescente. Elle n'a plus de seins et respire mal. Ses yeux chavirent. Karim ferme les siens pour ne plus avoir à fixer la porte. Il revoit Charlotte à Grenade, subjuguée par la finesse des entrelacs sculptés et des écoinçons surplombant des arcs outrepassés, gracieux, incrustés de poèmes. Ils arpentaient les salles du palais ensemble, laissant courir leurs doigts le long des murs, aveuglés par la beauté des écritures coufiques gravées dans le stuc.

C'est incroyable combien leurs deux religions peuvent être capables de beauté, quand elles s'entrelacent au lieu de se détruire. Ils rêvaient que leur amour métis puisse donner naissance à autant de grâce.

« Vous savez ce que veut dire Alhambra ? leur avait demandé un vieux en s'improvisant guide pour le plaisir de quelques mots échangés avec des étrangers.

— Non, avouèrent-ils.

— Ça veut dire le "Château rouge", à cause du soleil qui enflamme la terre des murs quand il se couche. Il ne faut pas partir de Grenade sans voir ça. »

Ils avaient attendu la fin de la journée dans les jardins pour assister à l'incendie.

« Et vous savez ce que le fondateur de la dynastie des Nasrides, Zawi ibn Ziri, a fait graver un peu partout ?

— Non, avouèrent-ils encore.

— "Wa lā gāliba illā-llāh, Seul Dieu est vainqueur". »

Un bruit de fermeture Éclair vient arracher Karim à la douceur de Grenade. Il rouvre les yeux.

L'adolescente ne pleure plus. Elle est morte. Les pompiers ont glissé son petit corps à l'intérieur d'un sac en plastique bleu et le referment.

Dans son Alhambra à elle, les murs sont rouges de sang et Dieu est perdant.

« Monsieur, il faut rentrer chez vous, laissez votre numéro, on vous tiendra au courant. »

Personne n'a encore jeté l'éponge, mais, sonné dans son coin, Karim a compris.

Charlotte ne reviendra plus, le combat est perdu.

La journaliste tourne une page, efface un sourire et passe sans transition de la météo à l'attentat :

« Au Zébu Blanc, le bilan est maintenant de trente-huit morts et de quarante-deux blessés. »

Karim reconnaît les images des deux voitures de police bloquant la rue Beaurepaire.

« Hier soir, à 21 h 37, en plein service, deux hommes ont fait feu en salle et en terrasse armés de pistolets-mitrailleurs avant d'actionner leurs ceintures d'explosifs. »

Des images prises de l'un des balcons incendiés par les gyrophares montrent un bout de la terrasse dévastée. Elles tournent en boucle. On devine à peine les corps entre les tables renversées.

« L'attaque n'a pas duré plus de cinq minutes. Elle a été menée par deux Français d'une trentaine d'années. Selon des survivants, les deux hommes ont agi avec un calme et une détermination effrayants. »

Le plus jeune des deux drones apparaît à l'image, blessé à la jambe, couché sur une civière. Il explique à la journaliste comment l'homme de la terrasse avançait entre les tables en vidant tranquillement ses chargeurs.

À gauche de l'image, Karim s'aperçoit. La femme en robe de chambre le fait s'asseoir et l'adosse à une porte cochère. Le cameraman zoome puis se rend compte qu'il n'est pas blessé et revient sur le drone.

Au même moment, le numéro de sa mère s'affiche sur son téléphone. Elle doit regarder les mêmes images. Il n'a pas le courage de répondre.

Charlotte est partout, en robe de chambre, sur la civière, sur les murs de son studio, dans le canapé de leur bonheur assise tout contre lui. Il peut sentir les cent cinquante battements-minute sous sa jupe boules de glace vert anis.

Elle rappelle. Cette fois, il décroche pour la rassurer.

C'est une voix d'homme, posée, légèrement tremblante.

« Monsieur Karim Ouarkine ? »

Il regarde sa montre : 2 h 25 du matin.

« Oui, c'est moi.

— Bonsoir, Jacques de Menthon, de la cellule de crise du ministère de l'Intérieur. Vous êtes bien le compagnon de Charlotte Aramian ? »

Le souffle de Karim hoquette. Il hésite à répondre.

Il sait qu'après sa vie ne sera plus jamais la même. Elle n'aura plus cette légèreté, cette inconscience. La fissure s'agrandira, toujours, tout le temps.

Il veut garder Charlotte encore un peu contre lui. Son parfum imprègne les coussins. Elle a laissé sur la table basse le livre de Primo Levi, *Si c'est un homme.*

À l'intérieur, comme marque-page, est glissée la convocation à sa deuxième échographie.

« Tu veux savoir ? » lui avait-elle demandé la veille en se jetant à son cou.

Bien sûr qu'il voulait, pour mieux l'attendre, pour mieux lui murmurer des mots bleus, pour mieux l'imaginer dans la moite douceur de son ventre.

« Alors invite-moi en tête à tête demain et je te le dirai. »

Il sourit de tristesse.

Il aurait tant voulu aider son enfant à devenir une femme ou un homme.

Elle a surligné quelques mots de la préface.

« Beaucoup d'entre nous, individus ou peuples, sont à la merci de cette idée, consciente ou inconsciente, que "l'étranger, c'est l'ennemi". Le plus souvent, cette conviction sommeille dans les esprits, comme une infection latente ; elle ne se manifeste que par des actes isolés, sans liens entre eux, elle ne fonde pas un système. Mais lorsque cela se produit... »

Elle s'est arrêtée là.

Il se souvient d'avoir débarqué avec un verre de Sancerre. Elle a posé le livre en le suppliant de lui laisser tremper le bout des lèvres.

Au téléphone, l'homme s'inquiète.

« Monsieur... ça va ? »

Karim repose Primo Levi.

« Oui. »

Il prononce enfin la question qui va le détruire.

« Vous avez des nouvelles ? »

C'est comme une rupture de barrage.

« Malheureusement, Charlotte fait partie des victimes de l'attentat du Zébu Blanc, monsieur. Je vous présente mes sincères condoléances. »

Karim est anesthésié. Les mots le transpercent un à un sans douleur. Plus tard sans doute.

Il a une prière pour les parents de Charlotte.

Que Dieu les soulage de la peine d'avoir perdu ce petit bout d'eux-mêmes qu'il a si mal protégé.

À la télé, la journaliste a retrouvé son sourire et la
météo.

« Monsieur Ouarkine ?

— Oui ?

— Connaissiez-vous Chanchal Ventkat ? »

Karim ne comprend pas.

« Non. Pourquoi ?

— Parce qu'il est mort à côté de Charlotte, monsieur,
et qu'il n'avait aucune adresse sur lui. Nous cherchons
juste à prévenir sa famille s'il en a une. »

C'est idiot, pense Karim, tout le monde a une famille.

Il se demande ce qui de l'annonce ou de l'attente fait
le plus mal.

Il n'a aucune réponse, que des questions.

Ce Chanchal Ventkat a-t-il été assez fort ? A-t-il réussi
à lui faire oublier le regard du tueur ? A-t-il trouvé les
mots pour la rassurer jusqu'à la dernière seconde ?

C'était à lui de mourir à ses côtés pas à un étranger.

« Je peux voir le corps ? » demande-t-il.

L'homme laisse un silence gêné.

« Nous travaillons pour pouvoir vous le présenter,
monsieur, mais c'est extrêmement difficile. »

Karim insiste.

« Peut-être demain à l'institut médico-légal de Paris,
place Mazas, nous vous préviendrons. »

Lentement, l'anesthésie s'estompe. Les mots reprennent
un sens.

Charlotte est morte, assassinée à la terrasse d'un café
où il aurait dû être, l'explosion a éparpillé son corps et
celui de leur enfant en mille morceaux, elle a mélangé
chaque petit bout de sa peau si douce avec d'autres
petits bouts de peau, peut-être même celle du tueur,

et quelqu'un est en train de faire le tri pour essayer de la lui rendre, il ignorera toujours ses derniers mots et l'histoire de celui qui les a entendus.

Un immense désespoir le submerge, une chute libre lui soulève le cœur.

Il essaye de se rappeler la dernière fois où ils se sont parlé.

C'était le matin au téléphone. Il l'entend encore. Elle lui murmure de passer le soir.

Il n'est sûr de rien, il a promis à ses parents d'aller chez eux après la mosquée.

« Tant pis pour toi ! » le nargue-t-elle en chantant.

Ce soir, je suis une fusée, je file droit vers la collision
Je suis une sex machine, une bombe atomique prête à exploser
Alors ne m'arrêtez pas, je vous en supplie, laissez-moi m'amuser

Il se souvient de lui avoir demandé de ne pas rentrer trop tard pour croquer dans sa minijupe boules de glace.

Elle a ri, puis menti sans le savoir.

« Ne t'inquiète pas... on a toute la vie. »

Et il l'a crue.

La journaliste a retrouvé son sérieux. En bas de l'écran défile un bandeau :

« Exclusivité BFM. Le terroriste était un converti. »

En haut à gauche de l'image est incrustée la photo d'un homme plutôt jeune.

« Voici le visage de celui qui a assassiné dix-huit personnes hier soir à la terrasse du Zébu Blanc. »

Le tueur n'a pas la tête d'un tueur. Il est surpris par la douceur de ses traits, un ovale parfait et des yeux gris transparents. Les derniers à avoir vu Charlotte vivante. Karim est presque rassuré, elle a dû avoir moins peur. La journaliste découvre les informations au fur et à mesure qu'on les lui tend.

« D'après des sources proches de l'enquête, l'homme s'appelle Aurélien Lagnier. Il avait trente ans. Converti à l'islam il y a à peine trois ans, il aurait fait plusieurs allers-retours en Syrie avant de revenir en France il y a cinq jours pour se faire exploser à la terrasse du Zébu Blanc. Luc Moreira nous en dit plus. »

Karim reconnaît immédiatement le petit parking, la rue et l'immeuble.

Luc Moreira à l'air d'un explorateur avec sa petite gueule de Sciences Po au milieu des voitures fatiguées.

« Oui, Claire, c'est ici, dans cette cité d'Aubervilliers, au dernier étage de cette tour, qu'Aurélien Lagnier a grandi. Fils d'une vendeuse en lingerie, veuve très tôt, Aurélien, élève brillant jusqu'au bac, a semble-t-il abandonné ses études après le décès de sa sœur. De confession catholique, il s'est converti à l'islam et s'est radicalisé au contact de cet homme, son complice, qui a, lui, exécuté les clients à l'intérieur du restaurant avant de se donner aussi la mort. »

Apparaît la photo d'un deuxième homme. C'est Assan, la montagne de muscles, l'apprenti imam de la mosquée, au kami et au chapeau afghan à bords roulés, qui avait demandé la permission de partir plus tôt parce qu'il avait « quelque chose d'important à faire ».

Karim n'en revient pas. L'un des tueurs lui servait du thé tranquillement juste une heure avant l'attentat.

L'autre aussi lui est familier.

Il fouille ses tiroirs. Elles sont là, quelque part, sa

mère les lui a classées, année par année. Il retrouve celle qu'il cherche au milieu d'une dizaine de photos grand format. Dessus est inscrit : CM2, école primaire Ferdinand-Buisson, 1995, classe de M. Thouret.

Le tueur de Charlotte est là, deux rangs au-dessus de lui, quatre élèves plus à gauche, encore innocent.

Ils ont tous les deux les mêmes coupes de footballeur, les mêmes visages à peine dégrossis.

Ils sont jumeaux de tour, jumeaux de classe, jumeaux de coupe de cheveux.

Comment la vie a-t-elle pu les mettre sur des orbites si différentes ? Qui s'est trompé de bouton en envoyant le chrétien vers Daech et l'Arabe vers Charlotte ?

Il se souvient d'une sourate que son père lui murmurait, pour lui apprendre la tolérance.

« Je n'adore point ce que vous adorez, pas plus que vous n'adorez ce que j'adore. Vous avez votre religion et moi la mienne. »

Comment le tueur de Charlotte avait-il pu transformer ces paroles de paix en arme de guerre, déformer une religion qui pendant des siècles avait résisté à toutes les torsions ?

Quelles blessures, quel désespoir, quel esprit malade lui avaient fait confondre les mots, l'avaient rendu fou, au point d'éparpiller Charlotte et leur enfant sur la terrasse du Zébu Blanc, hier soir à 21 h 37 ?

Karim termine la bouteille de Sancerre qu'il avait ouverte la veille pour Charlotte.

Son téléphone bipe. C'est un texto de la cellule de crise.

« Rendez-vous demain matin à l'institut médico-légal pour la restitution des objets en possession de Charlotte

Aramian. Aucune identification ne sera malheureusement possible. »

Il fait gris. L'endroit longe les quais. C'est un immense bâtiment en briquettes, coincé entre la Seine et deux tours de verre. Karim est passé devant des dizaines de fois sans jamais remarquer de tristesse ni de chagrin. Ici pourtant on pleure les noyés, les suicidés, les assassinés et les morts de froid.

Il a garé sa voiture entre deux corbillards et attend dans un couloir carrelé devant la salle des morts.

Jacques de Menthon porte un costume de ministère et parle comme un formulaire.

« Les valeurs retrouvées sur les corps sont normalement mises sous scellés et déposées au bureau des restitutions du tribunal de grande instance pour être remises aux familles, mais cette fois nous avons fait une exception. »

Il lui tend un sac en papier.

« Voilà ce que nous avons retrouvé des possessions de votre compagne. »

À l'intérieur, il y a le téléphone ensanglanté de Charlotte, rien d'autre.

La batterie est vide.

Il lui tend un badge à son nom. Karim l'épingle sur sa chemise.

« Si vous voulez bien. »

Menthon le précède.

Elle est là, dans son sac, allongée sur une table de métal froid. Il a mal pour elle, elle est si frileuse.

À côté, une jeune femme noire se tient debout devant un autre casier ouvert.

Elle pleure. Sur son mort est déposé un bouquet de roses. Derrière elle, un homme âgé et fatigué, noir lui aussi, attend, assis sur un tabouret. On le dirait en prière. Menthon s'éclipse.

« Je vous laisse vous recueillir », dit-il.

Les sacs ont l'air vides, presque plats.

Où sont passées les courbes de son corps, ses hanches, ses seins, son ventre, son enfant et ses coups de pieds ? Rien ne bouge. Rien n'a de forme.

Il a lu que les kamikazes bourraient les ceintures explosives de clous et de boulons pour ne laisser aucun morceau identifiable et qu'une seule balle d'arme de guerre pouvait rendre un visage méconnaissable.

Avoir l'autre devant soi sans pouvoir le reconnaître, c'est une double peine pour les laissés-vivants, pire que de ne pas retrouver les corps.

Il repousse les images de Charlotte éparpillée qui surgissent malgré lui. Elle doit étouffer sous le plastique.

Sur le sac, au marqueur noir, est inscrit son nom : avec une faute d'orthographe à « Charlote ».

Sur celui d'à côté, il lit : « Chanchal Ventkat ».

L'homme se lève de son tabouret, détache quelques fleurs du bouquet et les lui tend.

Il s'appelle Assan, c'est écrit sur son badge.

Karim dépose les roses sur le plastique bleu.

Elle s'appelle Iman, c'est écrit sur le sien.

« Ils sont morts côte à côte sans pouvoir se sauver la vie, dit Assan, et nous pleurons côte à côte sans pouvoir nous consoler. »

Il se rassoit.

Iman murmure la formule de condoléances des musulmans.

« Allah reprend un jour ce qu'il donne ! »
Assan hausse les épaules.
Karim est d'accord. Allah n'a rien à voir là-dedans. Le tueur s'appelle Aurélien et il veut savoir pourquoi, en épousant sa religion, il l'avait si mal servie.

Sur le parking, à côté d'une tache de vieillesse, les restes d'une interminable attente. Des mégots, des gobelets écrasés, un trognon de pomme, quelques étuis vides de barres chocolatées et un peu de la honte des habitants du quartier d'avoir vu le nom d'une femme de tant d'efforts étalé comme ça sur le trottoir.

Luc belle gueule, le journaliste, et le grand cirque des médias installé la veille ont replié leurs trépieds et, comme des criquets, sont partis s'abattre ailleurs.

Personne ne leur a parlé, pas un mot, une solidarité de population à risque, craignant d'être un jour contaminée à son tour et de se retrouver devant les caméras.

Quatre cages d'escalier desservent la tour Baudelaire. Une voiture de police garde celle de la mère d'Aurélien.

Karim contourne l'immeuble par-derrière, rejoint l'entrée opposée, s'engouffre dans le hall et emprunte l'escalier qui descend aux caves.

C'est un long réseau de couloirs en béton, à la minuterie hésitante, qui relie en sous-sol chacun des halls entre eux.

Une invention des architectes de l'époque pour éviter aux habitants de marcher sous la pluie et un terrier à plusieurs sorties pour les dealers d'aujourd'hui.

La plupart des caves ont été forcées. Certaines sont vides, d'autres squattées.

Au fond de l'une d'elles, assis sur un sommier, deux ados fument la chicha en écoutant Booba.

Je vais toutes les baiser et toutes les tèj
Trop près du mal, trop loin du hadj
Vivement l'été, pourvu qu'il neige

Karim les connaît, il a fréquenté leurs grands frères. À son passage, ils baissent la tête et le son, par respect. Il ressort dans le bon hall. Devant, les flics avalent un McDo.

La cabine d'ascenseur est une vraie médiathèque.

Le bouton du neuvième est peint en rouge. Il est devenu le gland d'un énorme sexe dessiné au marqueur. C'est celui de l'étage d'Aurélien.

Chaque testicule est garni d'une mèche allumée. Le tout est surmonté d'une bulle où on peut lire « Nique la France ».

Au-dessus, sous une représentation grossière d'un Coran ouvert, est écrit « Allah est grand » et juste à côté « Ma bite aussi ».

Taguée sur la glace à la peinture orange, une main armée d'une kalachnikov sort d'entre les cuisses grandes ouvertes d'une femme, avec pour légende : « Si tu tombes, un ami sort de l'ombre à ta place. »

Karim hésite et appuie sur le gland rouge. La cabine monte.

Sur chaque porte d'étage est peinte une inspiration.

Au premier : « Croire, c'est rester bloquer, comme dans ce putain d'ascenseur. »

Au deuxième : « Sabrina la meuf du six est une pute. »

Au troisième : « Et ta sœur suce des queues dans l'escalier. »

Les slogans s'enchaînent.

« Le fanatisme est un monstre qui ose se dire fils de la religion. »

« Ni Marseille ni les barbus. PSG en force ! »

« Baise la police de France. »

« Shit in the city. »

Au neuvième, quelqu'un a barré « Fuck Daech » et repris les derniers mots d'Aurélien : « Les martyrs sont les lumières de l'histoire. »

La peinture est encore fraîche.

La porte d'entrée est défoncée. Sur le paillasson, les voisins ont déposé une quiche encore chaude dans son moule et un plateau de gâteaux au miel.

Karim frappe. La mère d'Aurélien est toujours assise à table.

Elle ne répond pas. À la télé, Luc, la belle gueule de Sciences Po, théorise sur les derniers chiffres du chômage.

« Quoi encore ? » dit-elle.

Karim ramasse la quiche et les gâteaux.

Elle est ailleurs.

« S'il vous plaît, supplie-t-elle, laissez-moi tranquille. »

Il pose les plats sur le buffet, à côté des papiers et des clefs d'Aurélien.

Elle soupire.

« Il avait peur qu'on les lui vole », dit-elle.

Sur la table, rien n'a bougé depuis la veille. Leurs deux assiettes et les restes d'endives froides sont encore là.

« Laissez-moi vous aider à faire un peu de ménage », propose Karim.

C'est comme ça qu'il a été élevé.

Elle n'a pas la force de refuser.

Elle dit juste :

« Il n'a rien voulu goûter, il a dit qu'il mangerait dehors. »

Karim se force à toucher ce qu'il a touché. L'empreinte de ses doigts le dégoûte, il les imagine enfoncer les clous un par un, glisser les balles dans les chargeurs, appuyer sur le bouton-poussoir sans écouter les yeux de Charlotte.

Il remplit l'évier et passe un coup d'éponge sur la toile cirée.

« Vous voulez que je fasse un café ? »

Elle allume une cigarette.

« Vous en voulez une ? »

Karim a arrêté pour la naissance.

Elle insiste.

Il en prend une et l'allume à la pointe de la sienne.

La nicotine remonte dans ses veines et le calme aussitôt.

Il s'assoit et la regarde fumer.

Elle a les rides d'une femme qui a élevé son enfant toute seule.

Deux petites griffes d'inquiétude qu'elle n'a pas pu déléguer, juste au-dessus du nez.

« Si vous saviez comme il me manque », dit-elle.

Il serre sa tasse pour ne pas hurler.

« Et comme j'ai honte. »

Ils restent un instant silencieux tous les deux.

« Vous le connaissiez ? » reprend-elle.

Karim a le ventre retourné.

« Oui, nous étions dans la même classe de CM2. »

Sa voix retrouve un sursaut de force.

« Vous êtes le fils de l'épicier ? »

Il lui confirme de la tête.

« Votre père m'a dit que vous alliez avoir un bébé. »

Karim ne retient plus ses larmes. Elles vident sa tête. Ça lui fait du bien.

« J'ai dit quelque chose de mal ? »

Elle se lève et pose maladroitement une main sur son épaule, désemparée.

Il regarde son reflet dans la glace en face de lui. Rien ne va, ni sa coiffure, ni sa robe boudinée, ni son maquillage.

À force de vivre sans le regard d'un homme, elle a lâché tout ce qui faisait d'elle une femme et a fini par se confondre avec les motifs défraîchis du papier peint.

Comment les choses avaient-elles pu lui échapper à ce point ?

Fallait-il ne pas sentir la barre glisser sous ses doigts pour dériver si loin ?

« Ma femme était à la terrasse du Zébu Blanc », répond-il simplement.

Elle est défaite.

« Aurélien m'a dit que je posais toujours les mauvaises questions. »

Il se ressert un café.

« Comment s'appelait-elle ?

— Charlotte.

— Je ne sais pas quoi dire... »

Ses mots l'assomment comme des grêlons.

Il a envie de se lever, d'attraper un couteau et d'ouvrir ce ventre d'où est sorti tant de mal.

Puis il se dit que sa douleur vaut bien la sienne, qu'un enfant petit ou grand est un enfant, qu'ils ont tous les deux perdu le leur.

« Vous voulez voir sa chambre ? » demande-t-elle.

Charlotte voulait peindre celle du bébé pendant les vacances de Pâques.

La mère le précède. La pièce est dévastée.

« La police a trouvé de la drogue dans sa boîte à compas et des traces d'explosif sous le lit. Du Captagon aussi, c'est ça qui l'a rendu fou. »

Karim regarde les posters au mur.

Lui était plutôt Beckham, Californie et Miranda Kerr.

Il avance jusqu'à la fenêtre. Dans la tour d'en face, une Chinoise le pointe du doigt à un photographe qui le mitraille aussitôt. Il recule et ferme les rideaux. Tous les criquets n'ont pas migré.

« Son père travaillait trop, il n'a eu le temps que d'être dur avec lui. Il s'est tué en voiture l'année de son bac, il n'a même pas su qu'il avait eu une mention. »

Il va s'asseoir au bureau. La boîte de compas est vide. Elle sent le shit.

Elle continue.

« Je lui ai toujours conseillé de suivre son exemple. Mais c'est difficile de tenir la ligne droite ici, surtout sur une seule roue. »

Finalement, les dealers lui ont servi de roue de secours.

Avec du shit d'abord et de la coke ensuite, en première année de prépa.

Un gramme, puis deux, puis trois, jusqu'à ce que la banque saute.

Elle ne s'est rendu compte de rien.

Les trafiquants défaisaient tout ce qu'elle essayait de construire.

« Tu veux finir comme ta mère, lui disaient-ils, vendre des slips et des soutiens-gorges, ou bouffer toute ta vie dans des hôtels de merde comme ton père ? Deale,

putain, ça payera au moins tes études. Tu passes tes journées avec des fils de pute qui avalent des pages par cœur jusqu'à 2 heures du mat ! C'est pas compliqué. »
Alors, il avait vendu. Beaucoup même, et consommé aussi.
Elle ramasse le dictionnaire d'allemand.
« Ça marchait bien pour lui en prépa, je n'ai pas compris pourquoi il a tout arrêté. »
Elle soupire.
« Enfin si... à cause de sa sœur. »
Frigyes Karinthy était aussi entré dans la vie d'Aurélien mais, contrairement à Karim, sa rencontre avec la théorie du Hongrois avait fait son malheur.
À l'époque, Guillaume, un gros client à court d'argent, lui avait proposé un marché pour payer sa coke : lui donner les clefs de l'Audi Q5 de son père en échange d'une ligne de crédit. Aurélien n'avait qu'à se servir dans le parking.
La voiture intéressait les frères Zéroual. Ils importaient en grosse quantité du Maroc et d'Espagne. Aurélien avait livré le 4 × 4 à un Roumain de la tour Verlaine pour qu'il le maquille et le descende à Barcelone.
Là-bas, un Gitan l'avait chargé de cent trente kilos de mexicaine pure, et Kevin, le meilleur chauffeur des frères marocains, s'était chargé du go fast.
Mais Ianis, le plus fou des Zéroual, était sur écoute pour une affaire de viol en bande, et les stups attendaient Kevin à l'entrée de la cité.
Pour lui, c'était vingt ans à Fleury ou forcer le barrage. Il s'était engagé à cent vingt dans l'allée des Poètes au moment où Emy, la petite sœur d'Aurélien, sortait acheter du pain pour sa mère.
Guillaume le camé, Ianis Zéroual, le Roumain de

la tour Verlaine, le Gitan et Kevin, il avait fallu cinq poignées de main entre Aurélien et le tueur pour que le pare-buffle du Q5 décapite sa petite sœur.

« C'était un accident, répète-t-elle en secouant la tête. Un simple accident, je ne sais pas pourquoi il s'en est voulu comme ça. Il a arrêté ses études de chimie et disparu du jour au lendemain. »

Après la mort d'Emy, les stups aussi avaient décapité la cité. Un véritable plan social. Les revendeurs, les guetteurs, les empaqueteurs, les livreurs, les nourrices, tout le monde avait été embarqué et mis au chômage.

Les flics avaient fouillé les caves, les appartements, les bouches d'égout, les gaines d'aération, les plafonds d'ascenseur, les boîtes aux lettres, désossé les voitures, les poussettes, l'électroménager.

Aux balcons, les habitants attendaient la mise à mort des frères Zéroual.

Trois jours plus tard, les hommes de la BAC les surprenaient en plein sommeil, lance-roquettes dans les bras, sur le toit de la tour Prévert.

Deux sur trois seulement, Ianis, le plus violent, le violeur en bande, l'homme des sales besognes, celui qui rendait sa justice à coups de marteau, signait ses reconnaissances de dette au cutter et se remboursait entre les cuisses des sœurs des mauvais payeurs, celui qui avait brûlé vivant un jeune guetteur parce qu'il s'était endormi, courait toujours. Il s'était évanoui dans le dédale des terriers en béton.

La femme se lève et remet le dictionnaire d'allemand en place.

« C'est le teinturier qui est venu me dire un jour qu'il avait vu Aurélien à la mosquée. »

Karim sent sa joue le brûler.

Le vieux à la barbe rouge faisait toujours tourner les vêtements comme des pendus. Il était même retourné à La Mecque, une dernière fois, pour mettre ses affaires en ordre et préparer le jour où deux anges viendraient lui poser les trois questions auxquelles chaque musulman doit répondre après sa mort pour que son âme voyage.

« Qui était ton Seigneur ? Quelle était ta religion ? Qui était ton prophète ? »

Pour Aurélien, depuis la mort de sa sœur, aucun doute, « il n'y avait de Dieu qu'Allah et Muhammad était son messager. »

Un soir de cafard, il avait poussé la porte de la mosquée pour ne plus jamais en ressortir.

À peine l'imam l'avait-il aperçu qu'il s'était retrouvé avec une paille plantée dans le cerveau.

« Celui qu'Allah veut gratifier, il l'éprouve, et ce n'est que par l'évocation d'Allah que se tranquillisent les cœurs. »

Puis il avait ajouté en ne regardant qu'Aurélien :

« Ô Allah, rétribue-le de son malheur et remplace-le par quelque chose de meilleur. »

C'était comme s'il avait tiré la chasse d'eau sur toute sa vie de merde. Nettoyé, le sang sur le pare-buffle, envolée, la tête de sa sœur roulant sur le trottoir, oubliés, les colères de son père, tous ses potes devenus ingénieurs sans lui, la douleur du manque, le sourire perdu de sa mère, les frères Zéroual et cette angoisse d'avoir tout à faire, tout seul, sur une seule roue, sans quitter la route.

Le soir même, il prononçait la chahada devant Assan, l'apprenti imam, l'homme au kami, au chapeau afghan et à la carrure d'haltérophile, son complice du Zébu Blanc.

« Un midi, continue-t-elle, en sortant de la mosquée, il est venu me voir. Il n'avait plus cette inquiétude au fond des yeux. J'étais jalouse de ne pas en être responsable mais contente que quelqu'un d'autre s'occupe désormais de lui. Moi, depuis la mort de sa sœur, je n'avais plus la force de rien. »

Elle continue à ranger comme s'il allait revenir.

« Ensuite, il s'est mis à faire du sport », ajoute-t-elle.

Elle montre à Karim deux gros haltères sous le bureau.

Deux mois après avoir poussé la porte de la mosquée, Aurélien poussait la porte du Global Sport, une salle low cost installée dans l'ancien local d'une supérette, au fond d'une galerie commerciale à l'abandon, traversant de part en part le rez-de-chaussée d'un immeuble, avec une entrée sur chaque rue.

On y trouvait un Loto PMU tenu par des Chinois, une onglerie africaine en face d'un coiffeur arabe à 10 euros la coupe, un retoucheur pakistanais, un salon de massages douteux et un bar à protéines pour booster la prise de muscle.

La salle se divisait en deux parties. L'espace des rameurs et des vélos elliptiques principalement occupé par les femmes, les vieux, les amateurs, et l'espace des souleveurs de fonte, au buste en triangle retourné, au cou de bison, aux épaules boursouflées de muscles, des Africains ou des Arabes de la troisième génération pour la plupart, à l'exception de quelques Caucasiens tatoués pour se noircir un peu, perdus comme des zébus blancs au milieu d'un troupeau de buffles.

Là encore, deux clans cohabitaient.

Celui des shorts fluo et des justaucorps échancrés sous les bras, et celui des barbus en pantalons de survêtement, les reins serrés de ceintures de force, le sweat à capuche remontée sur les oreilles même dans l'effort. Ceux-là s'entraînaient au fond de la salle, se saluaient tempe contre tempe, trois fois, en se frappant le cœur du poing, et se donnaient du « frère » avec respect.

Personne ne leur refusait jamais un poids ou une machine.

Ils venaient tous les jours, à la même heure, précis comme des compteurs Geiger, se comptaient, s'aidaient à soulever les barres, à rectifier les positions, se conseillaient sur chaque geste, ciselaient chaque muscle, sans jamais se regarder dans la glace ou faire attention aux filles contrairement aux shorts fluo.

Amaigri par la coke et les nuits de révision à avaler des petits pains au lait, Aurélien ressemblait à l'un de ces roseaux du Brahmapoutre poussé par erreur au milieu des vélos et des rameurs.

À chaque traction, son corps lui rappelait ses excès, son reflet dans les miroirs le désespérait.

Il était aussi plat que Charlotte dans son sac plastique.

Un jour où il s'échinait à gravir une côte imaginaire, entre une Black aux fesses saillantes comme deux hernies et une Beurette mouillant à grosses gouttes son exemplaire de *Voici*, un buffle à capuche remonta le fleuve des shorts fluo jusqu'à son vélo et lui lança un « Assalamou alaykoum » auquel il répondit avec respect mais difficulté par un « Wa'alaykoum salam » essoufflé.

Il s'appelait Akim et s'asseyait parfois devant lui à la mosquée.

« Tu n'arriveras à rien là-dessus mon frère, lui dit-il, viens plutôt t'entraîner avec nous. »
Et Aurélien rejoignit le clan des barbus.

La barre chargée à soixante kilos lui écrasait le torse. Il tenta une première fois de la soulever sans succès. Akim lui prêta ses gants et l'aida à positionner ses paumes au bon endroit sur le métal.
« Tu mets tes mains là, comme ça. Il faut bien répartir le poids. Concentre-toi et expire en levant. Ne t'inquiète pas, on est là. »
Il les regarda tous les cinq penchés sur lui comme sur son berceau. Sa nouvelle famille. Akim l'ingénieur, Bilal le chauffeur de bus, Ryan l'informaticien, Zaccarri le peintre en bâtiment et Christophe l'étudiant en compta.
Aurélien poussa sur ses bras, expulsa tout l'air de ses poumons et décolla la barre de quelques centimètres.
« Allez, encore, encore, encore ! »
Il réussit avec douleur à tendre les bras et à la poser sur ses supports.
« Parfait, le félicita Akim, moi, la première fois, je n'ai même pas soulevé cinquante kilos ! Si Dieu le veut, on va faire de toi un guerrier. »
Les autres approuvèrent en se lissant la barbe des deux mains.
« Avec l'aide d'Allah, mon frère, rien n'est insoulevable... même les montagnes. »
Pour la première fois depuis longtemps, Aurélien se sentit accompagné. Il n'avait plus une mais cinq roues.
En un mois, Akim, Bilal, Ryan, Zaccarri et Christophe lui avaient donné plus de conseils que son père dans toute sa courte vie.

La semaine d'après, il soulevait soixante-dix kilos presque sans effort, puis quatre-vingts.

Son corps changeait mais il évitait de le regarder dans la glace.

La punition était immédiate, cinq pompes avec soixante kilos de fonte sur le dos.

Akim profitait de chaque moment pour lui enseigner leur islam.

« Dieu a fait les corps désirables mais c'est mauvais de les exposer en public. Il ne s'agit pas d'avoir honte mais de faire preuve de pudeur. Alors, le Coran t'indique ce que tu peux ou ne peux pas regarder. Ce qui est "awra" ou pas.

— "Awra" ?

— C'est tout ce qu'un bon musulman doit cacher au regard des autres. Chez un homme, c'est ce qu'il y a entre les genoux et le nombril. Si c'est ton propre corps, c'est autorisé, mais à condition de ne pas le faire avec "shahla", avec délectation, comme tous ces mécréants. »

Il pointa les shorts fluo.

« La seule exception à cette règle, c'est en cas de "dharûra", de nécessité, à la guerre par exemple pour soigner un blessé.

— Et chez les femmes ? demanda Karim.

— Pour nous, tout le corps de la femme est "awra", sauf les yeux. »

Il arracha la barre de quatre-vingt-dix kilos, l'épaula, la souleva à bout de bras, la laissa retomber.

« Entre époux, rien n'est "awra" bien sûr. Et tu sais pourquoi le Coran est un bon remède contre la migraine ? » ajouta-t-il le sourire aux lèvres.

Aurélien n'en avait aucune idée.

« Parce qu'il dit : "Vos femmes sont pour vous comme un champ de labour, allez donc à vos champs comme vous l'entendez." »

Il éclata de rire.

« Tu vois, le Coran t'aide en tout. Si tu le suis à la lettre, tu n'as plus de soucis à te faire. »

À cent kilos, les séances devinrent de plus en plus denses, et Akim de plus en plus dur et exigeant.

Un quart d'heure d'assouplissement, puis un quart d'heure de corde à sauter, une heure de fonte, puis une demi-heure de gainage et à nouveau une demi-heure de fonte.

Ils se relayaient à cinq pour l'entraîner.

En plus de la musculation, Akim lui imposa un régime. Pas de repas le soir. Après le sport, au lieu d'aller manger, ils se retrouvaient dans l'appartement d'Assan, l'apprenti imam, pour lire le Coran.

« Ça doit rester entre nous, lui fit jurer l'homme au kami et au chapeau afghan, l'imam ne comprendrait pas, son islam a le goût du thé mal passé, il est insipide, le nôtre est fort, il doit nous empêcher de nous endormir. »

Au bout de deux mois, entre la fonte, les privations et les nuits à ânonner, Aurélien tenait à peine debout. La fatigue le privait de tout, de ses amis, de sa console de jeux, des concerts, des soirs d'apéro.

Il ne voyait plus personne en dehors du club des cinq.

Il ne rentrait plus chez lui que pour s'effondrer sur son lit et, dès qu'il se réveillait, un membre de sa nouvelle famille lui trouvait quelque chose à faire. Nettoyer la salle de prière, recopier des sourates entières pour les afficher dans les vestiaires de la mosquée, participer à des groupes de réflexion sur l'actualité, regarder des vidéos sur la vie du prophète ou sur les crimes de Bachar al-Assad en Syrie.

Il avalait des heures et des heures d'images toutes plus abjectes les unes que les autres. Jamais il n'avait vu autant d'horreur et de sang. Ses nuits s'en ressentaient. Il se réveillait en sueur, tournait en rond, revivait les combats et les décapitations, se levait encore plus fatigué et repartait à la salle fragile et vulnérable.

Comme des lions, ils l'isolaient de son troupeau et l'épuisaient en tournoyant autour de lui, à cinq contre un.

À bout de forces, coupé des siens et de ses repères, son corps défait abandonnait, se laissait tomber dans l'herbe et s'offrait à leurs crocs.

Akim pouvait maintenant s'attaquer à son cerveau.

Le troisième mois, il ajouta un footing à son entraînement.

Tous les matins à 6 heures, avant de partir au travail, il l'emmenait courir dans les jardins qui recouvraient une partie de l'autoroute A1 entre la porte de La Chapelle et le Stade de France.

En petite foulée, il plantait ses pailles et défaisait tout ce que sa mère et les siens avaient patiemment essayé de faire de lui.

« C'était écrit, Aurélien, tu étais fait pour nous rejoindre, depuis toujours. Qu'est-ce que tu croyais, que tu allais gagner de l'argent et abandonner tes frères ? Tu vaux mieux que ça. Pourtant regarde comme ils t'ont traité. Tu as été le seul à devoir travailler pour payer ta prépa. Ils t'ont obligé à faire la pute pour les frères Zéroual. Tu trouves ça normal ? »

Il lui laissait à peine le temps de répondre de la tête.

« La vérité, c'est qu'avant nous personne n'en avait rien à faire de toi. Personne ne te respectait. Même pas ta mère. Elle était trop occupée à chercher un remplaçant à ton père sur Internet. C'est pour ça que ta sœur est morte, parce qu'elle s'en foutait. Si tu avais été des nôtres, mon frère, jamais tu ne l'aurais laissée sortir toute seule. Elle n'aurait pas croisé le 4 × 4 de ce putain de Gitan et elle aurait toujours la tête sur les épaules. »

Il s'arrêtait et le laissait s'imprégner quelques secondes.

« Ils ont voulu vivre sans nous, wallah, c'est ça l'histoire ! Ils nous ont pris pour des cons tout juste bons à leur servir du shit ou des McDo. Et quand ils nous ont bien endormis, ils ont commencé à massacrer nos frères et nos sœurs, partout, en Palestine, en Irak ou en Syrie, en croyant qu'on allait tout avaler ! Mais ils vont bientôt savoir ce que c'est que de perdre des enfants, et je suis content que tu sois du bon côté. »

Désormais, Aurélien n'était plus jamais seul, du matin au soir ils se relayaient pour lui décrire la misère des camps, les bombardements, les corps sous les ruines, les mosquées soufflées, les enfants aux visages d'affamés.

Puis, un matin, Akim arrêta de courir et l'assit sur un banc.

« Tu sais qu'il existe un autre endroit où s'entraîner, mon frère, un endroit où tes muscles pourront servir à autre chose qu'à soulever de la fonte ? »

Et Aurélien avait rejoint la Syrie.

Sa mère sert un café.

« Et vous, demande-t-elle à Karim, pourquoi êtes-vous venu chez moi ?

— Je ne sais pas, dit-il, peut-être pour le plaisir de vous voir malheureuse. »

Elle tripote un sucre.

« Et alors ?

— Alors, ça ne marche pas, avoue-t-il, votre chagrin n'adoucit pas le mien. »

Il se rassoit à table.

« Mais je suis content que vous m'ayez laissé connaître Aurélien un peu mieux. »

Elle lâche le sucre dans sa tasse.

« Je suis désolée, dit-elle, j'aurais aimé pouvoir me faire pardonner. »

Il la regarde. Elle est morte debout.

« De quoi ? »

Elle tourne son café.

« De ne pas avoir vu grandir un monstre. »

Il se lève et enfile son manteau. Elle l'accompagne jusqu'à la porte.

« Je peux vous demander quelque chose ?

— Bien sûr.

— Vous viendriez à l'enterrement ? »

Elle est surprise.

Un rayon de soleil traverse le feuillage tendre d'un peuplier et se perd au fond du trou. La terre grasse suinte encore d'une giboulée. Un mulot escalade les mottes pour ne pas finir enterré vivant.

Dommage, pense Karim, ça lui aurait fait de la compagnie.

Le printemps arrive et elle va finir coincée là, elle qui aimait tant bouger.

Il se souvient des emportements de Charlotte enfermée dans la minuscule boîte métallique de sa Fiat Panda les soirs d'embouteillage. Celle-ci est encore plus étroite.

Il faudra qu'il fasse le mur du cimetière une nuit pour voir si elle râle autant.

La mère d'Aurélien a les yeux secs. Elle attend sans doute que l'on retrouve les petits bouts de son fils pour les pleurer. À quel Dieu va-t-elle bien pouvoir demander des comptes pour tout ça ? À celui qui n'a pas su retenir son fils ou à celui qui le lui a arraché ?

La mère de Charlotte a les yeux bouffis. Elle regarde la croix plantée sur le cercueil. C'est elle qui l'a choisi. Elle voulait voir le Christ en face pour lui demander pourquoi il avait pris sa fille. Sa famille n'avait-elle pas déjà assez souffert d'avoir cru en lui, en Arménie d'abord, puis à Alep et maintenant ici ? Fallait-il toujours qu'il s'en prenne aux mêmes ? Ne pouvait-il pas répartir un peu mieux les peines et les douleurs ? N'y avait-il pas d'autres soirs ou d'autres terrasses ?

En retrait, le père de Karim se tait. Il serre les poings. L'islam lui interdit de prier pour l'amour de son fils. Ça ne sert à rien, a dit le prophète, même en rendant grâce soixante-dix fois à l'âme d'un mécréant, Allah ne lui accorderait pas le pardon.

Sa femme trouve ça injuste. Dans la boîte, il y a aussi des bouts de son petit-fils ou de sa petite-fille, et c'est au nom d'Allah qu'on les a déchiquetés. Alors, ça vaut bien un blasphème. Elle cherche ses mots et se souvient tout bas de ceux qu'on lui a appris.

« Vos enfants morts seront vos guides. Ils vous accueilleront. Ils vous saisiront la main et ne la lâcheront pas jusqu'à ce qu'Allah vous installe au paradis », murmure-t-elle.

Parmi les fleurs, quelqu'un a déposé un bouquet de roses.

« Dieu est lâche, dit le prêtre. Ce matin, devant le corps méconnaissable de Charlotte et de son enfant, devant votre désespoir de parents, devant l'inconsolable chagrin de Karim et la honte de celle qui pleure un fils assassin, pour la première fois, je n'ai aucune envie de le défendre. Je ne trouve pas les mots. Alors qu'il le fasse lui-même puisque, malgré mes supplications, il est incapable de me les souffler. »

Il se tait et ferme les yeux un instant comme s'il lui donnait encore une dernière chance de s'expliquer.

« Quel besoin impérieux avait-il de nous arracher Charlotte avec tant de violence ? Pour nous dire quoi ? Rien. Ça n'a aucune logique, aucun sens. Et il voudrait que je vous fasse accepter ce terrible malheur, moi qui ai baptisé de ma main la petite Charlotte. Moi qui devais bientôt bénir son enfant ? Il voudrait que je vous dise : "Ne soyez pas tristes, elle a rejoint son Père", alors qu'en vérité le sien est là, devant moi, inconsolable, effondré par tant de lâcheté ! »

Il s'arrête un instant.

« Au nom de quoi dois-je justifier ta décision ? De l'amour que tu es censé nous porter ? De ta grande miséricorde ? De ta toute-puissance ? En vérité, j'ai honte de me retrouver là à ta place. Charlotte, Karim et les leurs s'aimaient les uns les autres comme tu l'as demandé. Alors pourquoi n'as-tu pas jugé bon d'éloigner la main du tueur, de la faire trembler et renoncer ? Pourquoi as-tu encore une fois laissé triompher la lâcheté ? »

Il se tait et fait signe au maître de cérémonie.

Le père de Charlotte aide à descendre le cercueil.

La mère d'Aurélien vacille. Le père de Karim la retient.

« Ayez au moins le courage que votre fils n'a pas eu »,
lui cingle-t-il.

Elle le regarde, foudroyée.

« J'espère qu'aucun musulman ne priera pour lui »,
ajoute-t-il.

Elle s'évanouit.

Karim est déçu. Ça ne change toujours rien à son
chagrin.

Il va devoir chercher d'autres coupables.

6

Au courrier du matin est arrivé le résultat de la dernière échographie. Karim a posé la lettre sur la table basse sans l'ouvrir et la regarde assis dans le canapé.

Le savon d'Alep encore humide dans la salle de bains, la couette à fleurs jaune et bleu, les coussins en damier, les pulls moelleux alignés sur l'étagère comme des hirondelles, le pense-bête pour le gynéco sur le frigidaire, l'affiche de Marylin ramenée du Moma, tout est exactement comme avant. Charlotte en moins.

C'est aussi désespérant que ça.

Elle n'est plus là, mais il reste des traces d'elle partout, comme ces ombres de disparus incrustées par la chaleur de l'explosion dans le béton d'Hiroshima.

Il voudrait toutes les garder, ses cheveux sur la brosse, ses chaussures au milieu du salon, la tasse de son dernier café, l'odeur de sa taie d'oreiller. Elles lui font mal, comme une cravate qui se resserrerait à chacun de ses pas dans l'appartement, alors il les entasse au fond de cartons et les descend à la cave en pleurant.

À la télé, on ne parle déjà presque plus des attentats.

Les criquets se sont rabattus sur Lampedusa, où s'agglutinent des milliers d'échoués et où se noient, sans bruit, des centaines de Charlotte.

Dans un pli du canapé, entre deux coussins, elle a oublié un nuancier de couleurs.

Rose ou bleu ? Fille ou garçon ?

Charlotte devait lui annoncer ce soir. Ils devaient commencer à peindre la chambre.

Il l'ouvre en éventail. Sur le bleu « matelot », elle a écrit « Ulysse » et dessiné un bateau. Sur le rose « buvard », elle a écrit « Isis » et dessiné un ventre rond. L'errance et la fertilité.

Il aurait dû s'en douter. La bibliothèque croule sous les mythologies. *L'Odyssée* d'Homère n'a plus de forme ni de couverture.

Les dieux d'Égypte, serrés les uns contre les autres, attendent désespérément la caresse de ses doigts comme des orphelins.

Bleu matelot, comme Ulysse, roi d'Ithaque, concepteur du cheval de Troie. Il a résisté au chant des sirènes, crevé l'œil du Cyclope, déclenché la colère de Poséidon, visité les enfers et erré dix ans sur les mers avant de retrouver Pénélope.

Rose buvard comme Isis, déesse d'Égypte, aux pouvoirs infinis, vénérée jusque dans la Rome chrétienne, protectrice des mères et des enfants. Après l'assassinat d'Osiris, son mari, elle a récupéré les quatorze morceaux de son corps démembré et éparpillés dans le Nil, sauf le sexe, dévoré par les poissons, lui en a fabriqué un nouveau avec de l'argile, et l'a ranimé juste le temps qu'il la féconde et lui donne un fils, Horus.

Comme il aurait aimé lui aussi rassembler le corps éparpillé de Charlotte le temps de lui arracher leur enfant.

Ses doigts déchirent l'enveloppe.

Isis est là, en écho flou dans le ventre encore vivant de sa mère, le cœur encore minuscule, le pouce dans la bouche, la petite flèche du curseur pointé sur son sexe.

Il rêvait d'une fille, elle la lui a donnée.

Il cherche les contours de son visage. L'image est déchirée de traits brumeux. Il aurait tant voulu l'accompagner à l'école, espionner ses amis, aller la chercher à la sortie des examens, être son parapluie, la protéger des bourrasques de la vie, devenir le livre de ses bonheurs et de ses chagrins, faire mille photos à ses côtés, à Noël, au ski, sur la plage, à l'arrière de la voiture, toute sa vie, mais il n'a le droit qu'à un seul cliché, nuageux et sans lui.

Il fouille le fond de l'enveloppe.

C'est une deuxième déflagration, la pièce se vide de tout son air. Il a du mal à respirer. Isis le regarde. Il peut la voir comme s'il la tenait dans ses bras. Elle a l'ovale du visage de Charlotte et ses yeux à lui.

C'est une échographie 3D, insoutenable. Il ne lui manque que la respiration.

Karim lui caresse tendrement la joue et la mouille de larmes. Il se demande si son cœur de petite fille s'est arrêté de battre doucement avec celui de sa mère ou si un éclat l'a déchiqueté, brutal et sans pitié.

Isis aussi lui laisse une trace.

Il la range au fond du dernier carton avec celles de Charlotte, d'Homère et tous les dieux d'Égypte.

La télévision annonce un nouveau bulletin météo.

La nuit, il tremble qu'elles aient froid.

La présentatrice le rassure, il va faire beau ce week-end.

Qu'avaient-ils prévu déjà ? Il ne s'en souvient plus. Tellement de choses s'effacent. Le monde continue à bouger, mais lui s'est arrêté, pétrifié devant l'image de Charlotte et de leur fille, pourrissant frigorifiées au fond de leur trou.

Karim avait aussitôt alerté Charlotte de l'homonymie de son prénom préféré avec l'acronyme anglais de Daech. Isis, c'était le corps élancé d'une reine aux fines épaules surmontées de deux ailes de milan et à la tête couronnée du hiéroglyphe de son nom. Mais c'était aussi depuis trois ans « the Islamic State of Irak and Shama », la traduction de « Dawlat islamiya fi' Iraq wa Sham », l'État islamique en Irak et au Levant.

Elle s'en était moquée.

« On les emmerde ! Ils ne vont pas nous empêcher de vivre ! »

Et Isis l'avait éparpillée à la terrasse du Zébu Blanc, leur petite reine avec.

Karim tape le nom dans la barre de recherche de son ordinateur. En un clic, il passe du raffinement de l'Égypte ancienne au Moyen Âge du califat. Les appels au meurtre remplacent les hiéroglyphes. Les corps défilent en morceaux. Des enfants jouent au pied de corps crucifiés qui sèchent au soleil. Des chasseurs de têtes, en kami et baskets, se selfisent en brandissant leurs trophées au bout de piques. Ils ont le regard de gosses surpris par l'accélération brutale de leur vie. En un vol low cost, ils sont passés de leur cage d'escalier aux ruines fumantes d'Alep, de chômeurs à tueurs. Ils arborent la kalachnikov comme d'autres la cravate. C'est leur tenue de travail.

Sur une vidéo, un homme est précipité du dernier étage d'un immeuble au nom de Dieu tout-puissant et miséricordieux.

Sur une autre, un interminable cortège de prisonniers en slip, les mains sur la tête, est traîné dans le désert vers on ne sait quel destin.

En ville, on roule sur les cadavres comme sur de vieux tapis. Les horreurs s'enchaînent, les références aux sites intégristes aussi. L'un d'eux, intitulé « Isis : attentat au Zébu Blanc », renvoie à la page Facebook d'un certain Abou Walid.

Karim clique.

C'est un Français. Sur sa photo de profil, il porte le keffieh et sourit, les Ray Ban sur le front.

En exergue, il a choisi une citation du Coran :

« Il n'y a de force et de puissance qu'en Dieu. »

Juste en dessous, Abou Walid a posté une vidéo. On y aperçoit des jambes nues entre deux tables renversées. La caméra circule quelques secondes entre les corps. Il croit deviner une robe vert anis, mais l'image tremble trop. Elle s'arrête. Une autre la remplace, celle des secours remontant la rue Beaurepaire et du drone blessé allongé sur sa civière. En arrière-plan, à peine discernable, la femme en robe de chambre assoit Karim contre un mur. Puis les visages de martyrs morts au cours d'opérations suicide défilent sur un chant martial sous-titré en français. On a du mal à voir dans leurs yeux s'ils y croient ou pas.

Avance, avance
Sans jamais reculer, jamais capituler
Avance, avance
Guerrier invaincu, l'épée à la main... tue !

En dessous, un dénommé Grégory a commenté.

Grégory :
« C'est beau, mon frère. »
Abou Walid :
« C'est encore plus beau en vrai.
— Tu es où ?
— Là-bas, et toi ? »
Grégory :
« À Montauban.
— Musulman ?
— Converti. »
Abou Walid :
« Dieu ne fait pas la différence.
— C'était chaud au Zébu Blanc !
— Les chiens doivent mourir comme des chiens. »
Grégory :
« Tabaraka Allah[1] !
— Tu parles arabe ?
— J'apprends. »
Abou Walid :
« C'est bien mon frère, mais passe en conversation privée, le diable est partout sur Internet. »
Le dialogue s'arrête. Le vrai califat est là, il tisse sa toile hors de portée des bombes et des drones,

1. Sois béni par Allah.

inaccessible, irrécupérable par aucune frappe aérienne, aucune troupe au sol.

Il pianote. La page d'inscription à Facebook s'affiche. Elle s'ouvre sur un court questionnaire. Il le remplit.

Prénom : Abou
Nom : Karim
Âge : trente ans
Statut : célibataire musulman
Travail chez : monteur-truquiste

Sur son bureau, le téléphone de Charlotte charge. Il l'a nettoyé du sang sur les touches. L'écran s'allume brusquement. Son dernier texto s'affiche.

« Où es-tu ? » demande-t-elle désespérément.

Encore une trace.

Combien en a-t-elle laissé, dans les placards, sous le lit, entre les pages d'un livre, dans la cave ?

Il la cherche dans l'appli photo.

À nouveau, la pièce se vide de tout son air. Il doit s'asseoir.

Charlotte brandit un bouquet de roses, Mathilde et Aurélie lui embrassent le ventre.

« Les chiens meurent comme des chiens. »

Il n'a jamais rien entendu d'aussi con.

Il revoit la chambre d'Aurélien, le dictionnaire d'allemand, le sourire de Ronaldinho. Qui a fait du gamin de la photo de classe l'assassin de sa Charlotte ? Où est passé Grégory de Montauban ? À qui Abou Walid retourne-t-il la tête ? Karim veut des réponses. Pour lui, pour Isis, pour Charlotte.

L'ordinateur lui demande de valider son profil pour finaliser l'inscription.

Il hésite à s'engouffrer dans le tuyau. Comme Ulysse, il sait que le voyage va être long. Mais il n'a rien à perdre, ils lui ont tout pris, aucune Pénélope ne l'attend plus.

Il veut affronter le monstre, lui couper la tête ou perdre la sienne. Abou Karim sera son cheval de Troie.

Il valide. Sans regret.

« Bienvenue sur Facebook », lui souhaite l'ordinateur.

« Bienvenue chez Daech », se dit Karim avec la peur du vide, comme au bord d'un gouffre.

Dans la nuit, Abou Walid a changé sa page d'accueil. Sous sa photo en keffieh, une nouvelle citation du prophète invite le visiteur à la réflexion.

« Chaque fois qu'un homme est seul avec une femme alors Satan est leur troisième. »

En démonstration, il a posté une vidéo.

Au milieu d'un square de Raqqa, une femme enterrée jusqu'à la poitrine, le niqab couvert de sang, porte une pancarte autour du cou sur laquelle il est inscrit : « Fornicatrice ». Elle est morte, lapidée pour adultère. La quatrième pierre lui a brisé la nuque. La foule se disperse, déçue, et abandonne ses munitions par terre.

Deux hommes de la police des mœurs, en armes, laissent de jeunes enfants s'entraîner à jeter des cailloux et s'amuser avec le corps. En riant, les miliciens leur cherchent des cailloux à la taille de leurs petites mains qui retombent sans éclabousser dans la flaque de sang déjà séché. Tout autour, les chiens attendent leur part en évitant les coups de crosse.

Sous la vidéo, Abou Walid a posté un commentaire : « L'adultère est un des plus grands péchés de l'islam. »

Il y explique les principes à respecter pour une lapidation dans les règles. Les fornicateurs doivent avoir les mains attachées dans le dos. Les hommes sont enterrés debout jusqu'à la taille. Les femmes, habillées de leurs niqabs, sont ensevelies jusqu'à la poitrine. Si les fornicateurs n'ont pas avoué leur crime, celui qui a prononcé la sentence doit jeter la première pierre. Si, en revanche, des témoins ont assisté à l'adultère, c'est à eux de commencer la lapidation puis au juge et à la foule de continuer.

La taille des pierres est importante.

Elles ne doivent être ni trop grosses, pour ne pas provoquer la mort rapidement, ni trop petites, pour ne pas que le supplice s'éternise. Il est préconisé de les choisir de la grosseur d'un kiwi et recommandé de viser d'abord le haut du corps pour laisser aux fornicateurs le temps de regretter leur faute. Il est demandé ensuite de viser le visage pendant que les condamnés supplient encore et de continuer jusqu'à ce qu'ils n'émettent plus un cri. C'est au juge ou aux témoins de vérifier la mort.

Enfin, il est précisé, à l'image d'Allah et de sa miséricorde, d'accorder une chance de pardon à ceux qui ont avoué.

Dans ce cas, si la fornicatrice ou le fornicateur arrivent sans l'aide de personne à se déterrer après le jet de la première pierre, alors il faut mettre fin à la lapidation et les laisser partir librement.

Même lapidées, se dit Karim, les femmes, enterrées jusqu'à la poitrine, ont moins de chances de s'en sortir que les hommes adultères.

Il se lève et vomit.

Quand il revient, Abou Walid l'a demandé comme ami.

Abou Walid :

« Tu es nouveau ? »

Karim :

« Oui. Comment tu m'as trouvé ? »

Abou Walid :

« Je m'intéresse à tous les Abou qui postent, mon frère. Tu as vu la vidéo ?

— Bien sûr.

— Alors ?

— Les chiennes meurent comme des chiennes », se force Karim.

Abou Walid :

« Tu vis où ?

— À Aubervilliers, et toi ?

— Là où on défend l'islam. »

Abou Walid disparaît un instant comme s'il menait plusieurs conversations à la fois, puis il revient.

« Tu travailles ? »

Karim :

« Non, pour l'instant j'envoie des CV, mais je n'ai pas de réponse. »

Abou Walid :

« C'est normal, les Français n'aiment pas les Arabes. Ici, on a tous du boulot. »

Karim :

« Subhan Allah[1] !

— Tu parles arabe ? s'intéresse Abou Walid.

— Oui, un peu. J'apprends.

— Alors passe en conversation privée mon frère, le diable est partout sur Internet. »

1. Gloire à Allah.

102

Ça a été plus rapide qu'un speed dating. Il ne lui a fallu qu'un pseudo bien choisi et cinq minutes de connexion pour se faire draguer par un membre de l'organisation criminelle la plus surveillée du monde.

Désormais dans l'espace protégé d'une application pour ados, ils vont pouvoir disparaître des radars et passer aux choses sérieuses.

Abou Walid ne perd pas de temps. Il a le discours simple et efficace.

Si Karim galère, c'est à cause de la France, en croisade contre l'islam depuis toujours. Au Moyen Âge, elle chassait déjà les Arabes du Shâm, la terre des prophètes de l'Ancien Testament, celle où Daech prospère aujourd'hui, une Grande Syrie, allant de la Jordanie aux provinces turques de Gaziantep, Diyarbakir et Hatay, en passant par le Liban et la Palestine. À la Révolution, les Français s'inventaient une autre religion, plus dévastatrice encore, la démocratie et la laïcité, afin de justifier d'autres croisades, coloniales celles-ci, et d'envahir le Maghreb, l'Égypte et à nouveau une partie du Shâm. Après la Seconde Guerre mondiale, c'est encore la France qui apporte son soutien au sionisme et arrache la terre des prophètes aux vrais croyants pour la donner aux juifs blasphémateurs.

Aujourd'hui, c'est toujours elle qui, au nom de la lutte contre le terrorisme, part en croisade contre le voile et prend la tête de la coalition contre le califat.

« Tu comprends maintenant, mon frère, pourquoi tu ne trouves pas de boulot, pourquoi les prisons françaises sont pleines de musulmans, pourquoi tes CV s'empilent, pourquoi on croupit dans des cités où aucun Français ne veut vivre, condamnés au trafic de shit, et pourquoi c'est toujours toi qui te fais contrôler ! C'est parce qu'ils savent que les musulmans ont raison, qu'ils détiennent la vérité, que nous sommes les seuls vrais croyants, alors ils nous maintiennent la tête sous l'eau. »

Karim l'encourage d'un smiley jaune soleil.

Abou Walid continue :

« Leur force, ce sont nos divisions. C'est pour ça qu'ils nous chassent, qu'ils nous font la guerre, qu'ils nous montent les uns contre les autres, qu'ils nous séparent par des frontières. Sans ça, ils ne tiendraient pas. Nous sommes les victimes d'un grand complot de la part des juifs, des francs-maçons, des Illuminati, ils veulent tous nous soumettre, nous laisser dans l'ignorance en détruisant nos puits de pétrole ou en les laissant aux mains de cheiks répugnants et corrompus. On a baissé la tête comme des moutons mais aujourd'hui nous avons un espoir de rester du côté de la lumière. Le Coran l'ordonne, mon frère, si un musulman ne peut plus pratiquer librement sa religion, s'il n'est ni malade ni trop vieux, alors il doit faire sa hijra, immigrer loin des mécréants, là où il pourra rendre gloire à Allah. Et notre paradis est ici, en terre de Shâm. Je l'ai devant les yeux, tu devrais voir ça. C'est merveilleux. Des milliers de sœurs nous ont déjà rejoints. Elles t'attendent, pour le peupler, comme tes frères t'attendent pour le défendre. Nous sommes en train de reconquérir notre honneur. La fin de tes problèmes est ici. »

Karim est assommé par autant de bêtise.

Mais la démonstration est implacable, vendue comme ça, la France est dégueulasse et personne ne mérite d'être à l'abri aux terrasses de ses cafés.

Abou Walid sait appuyer là où ça fait mal, déclencher la douleur, pour caser ensuite son remède miracle. C'est la technique des charlatans : demander aux gros s'ils ont mal au dos et accuser leur chaise pour leur en vendre une autre. Trouver les frustrations, c'est s'ouvrir les portes les mieux verrouillées. Tous les gourous savent ça. Vous avez honte de votre corps ? Déshabillez-vous et venez nous rejoindre au lit ! La manipulation commence dès que l'on prête attention.

Tout l'art consiste à faire accepter le premier pas. Il est fatal. Il éloigne de tout, coupe du monde, de la famille, des repères, du retour aussi. C'est comme ces pièges à guêpes en entonnoir. Elles y rentrent et ne savent plus en sortir.

Abou Walid prépare maintenant sa mise à mort.

« Tu as pensé à faire ta hijra, mon frère ? » demande-t-il.

Karim offre volontairement le cou à l'épée.

« Ça m'arrive, oui. Mais ça m'a l'air compliqué.

— Je vais en parler pour toi. »

Karim joue l'honoré.

« Merci.

— En attendant, télécharge Telegram et demain contacte-moi dessus.

— C'est quoi ? demande Karim.

— Une messagerie cryptée, inventée par un Russe pour éviter la police de Poutine. On peut tout s'y dire sans risque. Tu vois, on n'a pas besoin d'être malins, tout le monde travaille pour nous sans le savoir. »

La bonne vieille technique du coucou : squatter le nid d'un autre. Détourner au profit du mal toutes les inventions destinées à faire du bien. S'échanger des recettes de bombes sur des forums de jeux vidéo, échapper au flicage des hôtels en louant des planques sur Airbnb, covoiturer pour se fondre au milieu des messieurs et mesdames Tout-le-Monde, lever des fonds grâce à de faux projets sur les plateformes de crowdfunding, faire circuler l'argent par Western Union.

C'est toute l'intelligence de Daech, se servir de celle des autres en la détournant.

Le lendemain, Karim retrouve Abou Walid sur la messagerie russe, devenue une sorte de Meetic du terrorisme.

Effectivement, la retenue n'est plus de mise.

« J'ai parlé de toi aux hommes d'Abou Ziad, mon frère. Si tu veux, une arme t'attend à Alep. »

Karim a passé la nuit à parfaire ses connaissances sur l'État islamique.

Abou Ziad est une sorte de ministre des combattants étrangers et des opérations kamikazes de Daech.

Une ombre. Un nom de guerre, pas de nationalité, aucune photo ni date de naissance, rien, si ce n'est une réputation de désosseur qu'il s'est forgée au début de la guerre contre les Américains en Irak, où, dit-on, il a continué d'exercer sur les prisonniers son ancien métier d'équarrisseur dans un abattoir de Mossoul.

D'autres le prétendent anglais, conducteur de chantier, converti par amour pour une jeune Pakistanaise, répudiée faute d'avoir su lui donner un fils. Il serait depuis en terre de Shâm le père de quatre beaux garçons qu'il prépare personnellement au djihad.

En réalité, c'est sans doute un ancien officier de l'armée désintégrée de Saddam Hussein, arrêté, torturé et promené en laisse dans la prison d'Abou Ghraib à l'ouest de Bagdad.

Évadé, il aurait d'abord joué les mercenaires pour Al-Qaïda, avant de rejoindre Daech et sa version 2.0. L'homme est le cauchemar des services secrets occidentaux.

À la tête d'une armée de vingt-cinq mille volontaires, tous passés dans la machine à laver les cerveaux de l'organisation. Il examine le profil de chaque nouvelle recrue, donne son feu vert, s'occupe de leur transfert en Syrie, leur accorde des logements, leur trouve des épouses, se charge aussi de rétribuer les rabatteurs.

On parle de 5 000 à 10 000 dollars pour chaque étranger rejoignant le Shâm.

Sur les murs de la CIA, sa tête est mise à prix 15 millions de dollars. Elle côtoie celle d'Abou Bakr al-Baghdadi, 25 millions, le calife autoproclamé de l'État islamique. Celle d'Abou Omar, le Géorgien à la barbe rousse responsable des crucifixions et des prisons. Celle d'Abou Samar, l'Américano-Syrien né en France spécialiste des réseaux sociaux, ancien étudiant en informatique à l'université de Massachusetts, génie de la propagande. D'Abou Abdallah, le Normand, du Bosc-Roger-en-Roumois, ville fleurie de l'Eure, radicalisé seul dans sa chambre, devenu à vingt-trois ans l'un des bourreaux les plus redoutés de Daech. De Mohammed Emwazi, son collègue de travail, koweïti, ancien étudiant en management à Londres, au parfait accent britannique, exécuteur de James Foley et membre d'un groupe de djihadistes anglophones surnommé les « Beatles ». Ou d'Abou Musa, l'Australien, converti à dix-sept ans, grand prédicateur du net, au compte Twitter suivi par presque tous les candidats au djihad, une sorte de Norman de l'islam radical.

La Syrie est devenue leur Far West. Ils l'écument en bandes, la ruinent, effacent son histoire, rue par rue, immeuble par immeuble.

Sur l'écran de Karim, un nouveau message s'affiche.

« Tu connais TOR ? » lui demande Abou Walid.

Karim en a vaguement entendu parler dans une enquête sur la face cachée du Net.

« C'est important. The Ognon Router est un moteur de recherche. Télécharge-le. Il va balader ton adresse IP autour du monde et lui choisir un pays par hasard. Avec ça, personne ne pourra savoir où tu es. Il te rend invisible. N'utilise plus que ça pour naviguer ou, plus tard, si un jour tu as besoin d'armes ou de cartes bancaires volées. »

Karim se fend d'un nouveau smiley.

« Et la technique de la corbeille ? »

Il ne connaît pas.

« C'est simple. Crée-toi une nouvelle adresse mail et donne-moi l'identifiant et le mot de passe. J'attends. »

Karim s'exécute.

« Ça y est ?

— Oui.

— Alors ?

— Isis@gmail.com. Mot de passe : Charlotte.

— C'est ta femme ? »

Il a un haut-le-cœur.

« Non, j'ai choisi ça au hasard.

— Ce n'est pas bon. Isis non plus, c'est trop repérable. Choisis un mot de passe avec plus de vingt caractères, des lettres majuscules, des minuscules, et des chiffres qui n'ont absolument rien à voir avec ta vie personnelle, une combinaison au hasard de préférence. »

Karim s'exécute à nouveau.

Abou Walid aussi.

« Parfait, si tu as un message urgent à me faire parvenir, fais-moi un mail mais surtout ne l'envoie pas. Mets-le dans la corbeille. Avec tes codes, j'irai voir régulièrement. Fais pareil, comme ça on peut communiquer sans que jamais rien ne circule. On est sûrs de ne pas être espionnés. Tu as des questions, mon frère ? »

Karim en a des milliers. Se souvenait-il d'Aurélien et de son adresse mail, Abou Ziad l'avait-il marié, qui lui avait appris à fabriquer une ceinture, où prenait-il ses ordres, qui avait choisi sa cible ? Mais il les garde pour lui.

« Non, dit-il.

— Alors à bientôt à Alep, Inch Allah. En attendant, sois prudent, le diable est partout sur Internet. »

Trois jours plus tard, Abou Walid lui laissait dans sa corbeille les dernières consignes pour quitter la « Dar al-Koufr », la terre des mécréants.

S'il devait communiquer avec d'autres candidats au départ, il fallait le faire impérativement avec des téléphones débloqués achetés dans les tabacs, ou des cartes Sim activées avec de fausses informations, de préférence à partir de taxiphones situés à la campagne et rarement surveillés par des caméras de sécurité.

Il devait être aussi le plus discret possible pendant la période de préparation. Se raser la barbe. S'habiller à l'occidentale. Porter une croix ou une kippa. Ne plus fréquenter la mosquée. Éviter de se rassembler avec des groupes de frères trop importants et se montrer au contraire dans des bars ou des lieux publics avec des mécréantes. Boire même avec le pardon d'Allah si c'était nécessaire pour ne pas attirer l'attention.

Le jour du départ, il ne fallait rien emporter qui le trahisse, ni Coran ni signe distinctif. Au contraire, il fallait acheter des guides et en abîmer les pages pour donner l'impression d'avoir préparé son voyage, cocher les bars et les boîtes de nuit, mettre en évidence dans son sac les serviettes et les maillots de bain. Enfin, il ne fallait jamais rejoindre la Turquie directement, mais faire une ou deux escales, ou mieux encore s'y rendre par la route en restant dans l'espace Schengen.

Enfin, en temps voulu, il lui donnerait le numéro d'un certain Abdel, le contact à joindre dès son arrivée à Gaziantep, la petite ville turque à la frontière nord de la Syrie, point de passage obligé des volontaires pour le djihad, province perdue du pays de Shâm, terre des assassins d'Isis et de Charlotte, le pays de sa guerre de Troie.

7

Le lendemain, Karim s'absenta pour prendre des nouvelles des parents de Charlotte. Il les trouva crucifiés au milieu du salon, muets, écartelés entre la peine et les regrets, pétrifiés de douleur. C'était comme si on leur avait forcé une couronne d'épines sur la tête. À chaque souvenir d'elle, leurs fronts perlaient de gouttelettes rouges, à chaque pas, à chaque objet caressé dans sa chambre, leurs pieds et leurs mains suintaient le sang.

Lui, Tigrane, voulait mourir, disparaître, retrouver son père là-haut, se blottir à sa droite et lui confier sa peine trop grande pour qu'il la supporte seul.

Elle, hagarde, fixait les photos alignées sur le buffet : Charlotte à la villa Gisèle un soir de printemps, Charlotte à la corniche au Pilat, Charlotte plongeant dans les reflets du banc d'Arguin, belle et lumineuse.

Elle l'imaginait, seule, dans le noir, enveloppée de son capiton de fausse soie rose.

Combien de temps fallait-il au bois pour se fendre, à la terre pour noircir sa peau blanche, aux vers pour attaquer ses petites cicatrices d'enfant ?

Le bobo de ses cinq ans sur lequel elle avait soufflé tant de baisers, le souvenir sur ses genoux de son premier vélo, la marque à son front d'un mauvais coup de bôme un jour de vent sur le bassin. Elle regrettait déjà les rires et les mauvais réveils, la crème étalée sur son dos, les interminables déménagements, les nuits de révision, les colliers de nouilles, les cartes Pokémon, les angines, la voiture ramenée le réservoir toujours vide, chacune des minutes passées loin d'elle et tous les câlins dans d'autres bras que les siens.

Pourquoi fallait-il que les enfants finissent toujours par se sentir trop à l'étroit dans ceux de leurs parents ? Pourquoi fallait-il qu'ils terminent toujours par jouer les Judas ?

Karim leur essuya le front et passa un peu d'eau sur leurs lèvres. Il les regarda porter leur croix sans rien dire jusqu'au soir, puis ferma la porte derrière lui et les laissa seuls sur leur Golgotha.

Il aurait tant aimé traîner Aurélien morceau par morceau jusqu'au pied de leur calvaire, pour lui montrer le supplice de ceux qu'il laissait lâchement derrière lui au nom d'Allah.

En rentrant, la corbeille de la messagerie d'Abou Walid affiche trois messages.

Le premier est un exemplaire de *Dar Al-Islam*, la revue numérique de Daech. Sur la couverture, parfaitement maquettée, une photo de la tour Effel avec ce titre : « Qu'Allah maudisse la France ».

À l'intérieur, sur deux colonnes, une citation du Coran tente de rassurer les candidats au martyre.

« Ne pense pas que ceux qui ont été tués dans le sentier d'Allah soient morts. Au contraire, ils sont vivants, auprès de leur Seigneur, bien pourvus. »

Karim aimerait miner tous ces chemins qui mènent à Dieu pour qu'au contraire ils pourrissent comme Charlotte, eux et tous ceux qui leur retournent la tête.

Dans le deuxième message, le Français a glissé une série de photos de très jeunes filles. Certaines, fraîchement débarquées pour leur hijra, fixent l'objectif, béates d'avoir enfin rejoint le paradis. D'autres, plus sombres, ont dans les yeux les reflets de leur enfer.

Elles sont toutes candidates au mariage.

« Tu vois, mon frère, ici "l'amour est dans les ruines" et tous les musulmans peuvent s'inscrire, alors choisis la tienne », a commenté Abou Walid.

Karim fait défiler les promises.

Chacune d'elles pose dans le décor d'un appartement disponible lui aussi, et avec lequel elles forment un lot indissociable, à prendre ou à laisser.

Les intérieurs sont encombrés d'objets personnels, des vitrines parfois brisées, des livres, des bibelots, quelques meubles hétéroclites rassemblés à la va-vite.

Ça sent la précipitation.

Les propriétaires ont dû fuir les combats ou être exécutés pour faire de la place aux vainqueurs.

Sur la moquette blanche d'un salon aux canapés de cuir jaune flanqués d'accoudoirs en bois de rose et incrustés de fausse nacre, Karim devine la trace d'une tache grossièrement nettoyée. On dirait du sang.

Juste à côté, les fesses posées sur le bord d'un fauteuil de velours vert, une jeune fille brune, le corps maigre perdu dans un jogging d'homme trop grand, se force à faire semblant d'être heureuse, une marque bleue autour de son œil, camouflée comme celle de la moquette.

113

Sur les genoux, elle tient un bout de carton d'emballage sur lequel il est écrit en anglais :

« Je m'appelle Nadia, j'ai dix-sept ans et je suis à marier. »

Karim la détaille.

Elle a douze ans à peine, plus d'ongles, des épaules maigres comme celles d'un chat des rues et les yeux creusés de cernes noirs.

Elle ressemble à une photo de l'arrière-grand-mère de Charlotte quand elle vivait à l'orphelinat d'Alep juste après le génocide de 1915, un peu avant son arrivée en France.

Elle pourrait être arménienne. Elle est yézidie.

C'est une prise de guerre.

Les djihadistes l'ont arrachée à l'un de ces peuples oubliés entre les pages des livres d'histoire, dont le nom ne resurgit qu'à l'occasion de guerres ou de massacres, comme celui des Tutsis ou les Rohingyas de Birmanie.

Les yézidis se sont attiré la haine de l'État islamique pour leurs croyances millénaires.

Ils se sont inspirés de celles des disciples de Zarathoustra, les adorateurs du feu de la Perse antique, et traînent depuis auprès de Daech une réputation d'admirateurs du diable qui leur vaut aujourd'hui d'être considérés comme des païens souillant la terre de Shâm.

Pourtant, la jeune fille assise sur un bout de fesse, au-dessus de la tache de sang, fait partie des plus vieux peuples de Mésopotamie.

Depuis des siècles, les siens vivent aux confins de l'Irak et de la Syrie, sans histoires, dans les mêmes villages retirés des montagnes du Kurdistan.

Ils allument des feux pour célébrer le soleil, ne portent

pas de bleu pour ne pas offenser le ciel, vénèrent le désert en brûlant du naphte, immolent un taureau pour que l'année soit verte et pluvieuse et se flagellent en procession chaque 10 août afin de se concilier l'esprit du mal et l'empêcher de nuire.

Pour traverser les siècles, pour survivre aux croisades et aux invasions arabes, pour passer inaperçus, ils ont joué les caméléons et maquillé de symboles bibliques ou coraniques leurs pratiques religieuses.

Comme les musulmans, ils prient cinq fois par jour mais vers le soleil. Comme les juifs, ils se font circoncire mais sans obligation.

Comme les chrétiens, ils célèbrent les miracles de Jésus mais sans y croire vraiment.

Malheureusement cette fois le camouflage n'a pas suffi.

Depuis l'arrivée de l'État islamique, leur calvaire est sans fond. Ils s'étirent dans leurs montagnes en un long cortège de survivants sans cesse poursuivis, suppliant le soleil de les laisser dans le noir.

Plus un de leurs villages ne tient debout, plus aucune de leurs filles n'est vierge. Dans les appartements-prisons où les djihadistes les écartèlent, elles prient Dieu et ses anges de leur épargner les coups de crosse et les coups de reins des diables de Daech.

Karim repose la photo de Nadia dans la corbeille.

Longtemps, l'image de la petite yézidie danse encore devant ses yeux en lui brouillant la vue comme un mauvais glaucome.

Le troisième message est bref. C'est celui qu'il attendait.

Abou Walid a tenu parole.

« Tout est arrangé, mon frère. Rendez-vous à Gaziantep à l'hôtel Guluoglu. Passe par Bruxelles. Attends Anthony à l'hôtel Meininger. Lui aussi est du voyage. Respectez les consignes. En Turquie, contactez Abdel au 0090729617 et attendez ses ordres. À bientôt à Alep. »

Karim manque d'air quelques secondes puis se reprend. Cette fois, ça y est.

Il vide la corbeille, achète en ligne un aller pour Bruxelles sur le Thalys, réserve un vol pour Istanbul et invente un mensonge pour ses parents.

« Trop difficile de vivre dans l'appartement. J'ai accepté de partir à New York monter un clip pour quinze jours. Ça va me faire du bien. Ne vous inquiétez pas. Je vous tiens au courant. »

Il s'imagine déjà leur Golgotha. Pour ça aussi, il faudra que quelqu'un paye.

Il se déconnecte et mémorise le numéro d'Abdel.

C'est le seul lien qui le relie au désosseur de Mossoul, Abou Ziad, le recruteur d'Aurélien.

Dans le sac de Charlotte, il empile quelques affaires en prenant soin de mettre son maillot de bain et sa serviette en évidence sur le dessus.

Il stabilote quelques noms de bars branchés sur les pages du Routard, embarque Primo Lévi et se rase de près.

Il n'a oublié aucune des consignes d'Abou Walid, sauf la photo de Charlotte attablée à la 12 Zen devant une assiette d'huîtres, face au port de La Teste, qu'il a soigneusement cachée dans la doublure du sac.

Elle va faire le voyage. Elle aussi va soutenir leur regard.

C'est le week-end de Pâques. Personne pourtant ne la ressuscitera. Ni elle ni ses parents morts debout.

La gare du Nord est pleine. Le compartiment aussi. Un équipage à la Prévert condamné à vivre une heure et demie ensemble comme dans un huis clos de Sartre.

Des couples heureux et d'autres qui le sont moins, deux militaires américains, un chien et son aveugle, un club des marcheurs, une famille œufs durs et pain de mie, une ravissante aux seins ronds un peu serrés, des joueurs de cartes, une bande d'ados aux oreilles sonorisées, un grincheux de tout, deux Japonais et leur thermos d'eau chaude, une Sénégalaise en boubou de mariage, deux Arabes à la tête d'Arabes, un prêtre le nez dans sa Bible numérique et deux gosses braillards que tout le monde voudrait déjà étrangler.

Toutes ces vies à portée de cerveaux rincés, de paumés, de soldats perdus. Si elles savaient à combien elles passent de la rafale, des éclats de ceinture.

Lesquels d'entre eux s'imaginent ce qui s'échange sur Telegram ?

La haine dont ils sont l'objet, ces vies aux mèches allumées prêtes à partir en fumée, ce monde parallèle de morts-vivants candidats au paradis d'Allah.

Karim attend l'attaque du train le front sur la vitre.

Il guette les visages masqués de foulards, le galop des chevaux, les armes brandies en l'air comme dans ses westerns d'enfant.

Mais plus besoin de chevauchées effrénées aujourd'hui. Il suffit d'acheter une kalachnikov au prix d'un lave-vaisselle et de composter son billet.

Le gibier est là, désarmé, sagement assis en rang, aligné comme des pipes de plâtre dans un stand.

Combien d'Aurélien ont pu monter à bord ce matin et comment les en empêcher ?

« Liberté, égalité, fraternité », la devise supporte mal la captivité. La barbeler, c'est l'étouffer.

Les soldats de Daech l'ont compris. Ils en ont fait une arme qu'ils ont retournée contre leurs ennemis.

Le combat est inégal.

Boire un verre, danser, faire confiance à l'autre, c'est désormais se promener torse nu sur la ligne de front.

Prendre un enfant par la main pour l'emmener à la gare, c'est peut-être lui faire traverser un stand de tir.

Karim les dévisage.

Combien se dresseraient pour désarmer celui qui choisirait de mourir sur le sentier d'Allah ?

Le prêtre ? Pas certain qu'il croit autant qu'eux à son paradis.

Les Arabes à la tête d'Arabes ? Pourquoi pas. Combien de musulmans aimeraient mettre fin à l'enfer que cette usurpation de l'islam leur fait subir ?

La famille œufs durs et pain de mie, l'aveugle et son chien, la ravissante aux seins ronds ? Ils attendraient sans doute lâchement qu'une rafale fasse taire les deux braillards.

Les soldats américains ? Peut-être se lèveraient-ils comme un seul homme pour faire ce qu'ils n'ont pas été capables de mener à bien en Irak ou en Afghanistan.

Lui, Karim ? Sans aucun doute, avec l'espoir de rejoindre Charlotte, d'en finir avec ce goût de terre dans sa bouche quand il l'embrasse dans ses rêves.

Il envie l'insouciance des autres. Lui guette chaque porte qui s'ouvre, chaque visage.

La vie est un goutte-à-goutte fragile. Elle s'égrène seconde par seconde. Un rien peut en arrêter le cours. La mort se joue à un horaire de train, à une réservation de restaurant, à un empêchement, à une manie d'être toujours à l'heure.

Combien s'en rendent vraiment compte en tendant leur billet au contrôleur ?

Il faut avoir reconnu la robe ensanglantée de Charlotte au journal de 20 heures pour le comprendre.

Il se souvient du soir où un talon cassé leur avait fait rater de quelques minutes la séance de *Carol* avec Cate Blanchett, une histoire d'amour comme elle aimait en regarder dans le noir d'une salle.

Pourquoi ce soir-là au Zébu Blanc ne lui était-il rien arrivé ? Combien d'autres avaient annulé leur table par flemme de sortir ou pour une réunion qui s'était éternisée ?

Combien avaient regardé les images de sa robe entachée en se disant qu'ils auraient dû être là, découpés entre les tables ?

La vie ne tient parfois qu'à un bas filé.

À la gare, Karim regarde s'éparpiller son inventaire à la Prévert.

Les deux braillards bousculent une vieille dame, et prennent enfin la fessée qu'ils méritaient, devant les Japonais médusés, arrêtés sur le quai, le thermos dans une main et une carte de Bruxelles dans l'autre.

Le chauffeur de taxi lui adresse un « Salam aleykoum » chaleureux en mettant son sac dans le coffre.

« Pardon ? s'étonne Karim, méfiant.

— Excusez-moi, dit l'homme, je pensais que vous étiez algérien ou marocain comme moi.

— Non, désolé. »

L'autre n'en croit pas un mot.

Il a le kit mains libres vissé à l'oreille.

« On va où ? »

Il tient en même temps une conversation animée en arabe au téléphone.

« À l'hôtel Meininger s'il vous plaît. »

Le taxi emprunte l'avenue de Fonsy puis tourne à gauche dans le boulevard du Midi, une longue saignée de béton au centre de laquelle circulent les trams et qui remonte jusqu'à l'ancien canal maritime de Bruxelles, où coule la Senne, pas celle d'Apollinaire, mais la belge, une rivière qui séparait jadis les quartiers bourgeois des quartiers ouvriers.

« Vous connaissez la ville ? demande le chauffeur après avoir raccroché.

— Non. »

La voiture est bloquée un instant sur le pont de la Porte de Flandres.

En face sur l'autre rive, des moulins à vent de toutes les couleurs flottent en haut d'immenses mâts.

Il se rappelle en avoir acheté un petit dans une boutique d'articles de plage pour le faire tourner dans le vent du soir avec Charlotte en partageant une glace le long de la promenade du Moulleau.

« Devant, c'est la chaussée de Gand », explique l'homme.

De l'autre côté s'enfonce une avenue grouillante d'étals et de boutiques.

« C'est le début de Molenbeek, le quartier musulman. Vous continuez tout droit et vous vous croyez chez moi, au Maroc. »

Molenbeek a toujours été un quartier de forçats.

Les murs y sont imprégnés de sueur, de larmes et de sang.

Avant de se hérisser d'usines et d'entrepôts, des Belges pauvres s'y cassaient le dos à retourner la terre.

C'était le potager de Bruxelles, il approvisionnait en fruits et en légumes les cuisines des demeures bourgeoises du centre-ville.

À la révolution industrielle, les grandes sociétés minières wallonnes rachetèrent les terres, y construisirent des baraquements et transformèrent les paysans ruinés en travailleurs dociles, qu'ils descendirent au fond des puits sans leur demander leur avis.

Mais les ouvriers sont comme les vieux pneus, quand ils crèvent, on ne les entend même pas crever, a écrit Prévert, et bientôt il ne resta plus dans les entrailles des concessions que des ombres usées jusqu'aux os.

Alors, les rues de Molenbeek se mirent à grouiller de houilleurs flamands, plus durs à la tâche et prêts à tout pour presque rien.

Mais les meilleurs chevaux de trait finissent toujours par refuser la charge, et les Flamands quittèrent les mines.

Pour les remplacer, les patrons se tournèrent vers l'Italie et signèrent au début des années quarante un accord appelé « Des bras contre du charbon ».

Le gouvernement de Rome s'engagea à leur livrer par train deux mille jeunes et vaillants Italiens par semaine en échange de sacs de houille, et Molenbeek, sans état d'âme, devint italienne.

Dix ans plus tard, quand le feu prit dans un puits au bois du Cazier, à Marcinelle, et que l'Italie compta ses morts, il fallut aux patrons trouver d'autres forçats.

Ils prospectèrent alors au Maghreb, délaissèrent la Tunisie trop fière et arrêtèrent leur choix sur les

121

Marocains, jugés moins politiques, plus doués et plus maniables que les Algériens.

Et Molenbeek devint marocaine.

Le chauffeur peste.

« Sans nos parents, ce serait le Moyen Âge ici. Franchement, ils ont tout fait, le tram, les quais, les boulevards ! C'est simple, moi, j'ai presque jamais vu mon père. Toujours au boulot. Et aujourd'hui ils nous regardent encore comme des Arabes !

— Il est toujours vivant ? » demande Karim.

L'homme touche le chapelet accroché à son rétroviseur.

« Grâce à Dieu, oui, mais quand je vois tout ce qui se passe, parfois je préférerais qu'il soit mort. Ça le rend malade qu'on parle comme ça de Molenbeeck et des Marocains. »

Il s'énerve.

« C'est des conneries, toutes ces histoires de djihad. Le paradis, c'est une femme, des enfants et un bon boulot pour les emmener en vacances et au restaurant. Excusez-moi, mais putain, qu'est-ce qu'ils ont dans la tête ? Qu'ils me montrent où il est écrit qu'un musulman doit se faire sauter dans une gare ou à la terrasse d'un café. »

Le conducteur devant lui s'impatiente et klaxonne.

De l'autre côté du pont, des silhouettes voilées chargent leurs cabas de fruits d'ailleurs.

« Vous savez quoi ? continue-t-il. Bien fait pour nous. Voilà ce qui arrive quand le progrès n'assure plus le bonheur. C'est la religion qui prend le dessus et on peut lui faire dire n'importe quoi. Si tous nos jeunes avaient des boulots intéressants, s'ils pouvaient vivre comme ce qu'on leur vend à la télévision, s'ils pouvaient se projeter un peu dans leur vie, tous ces connards prêcheraient dans le désert. Ce sont eux qui seraient au chômage. »

Karim se dit qu'en Belgique on ne formait pas les taxis dans les mêmes écoles qu'à Paris.

Le trafic reprend. Passé le canal, la voiture tourne à gauche et longe le quai du Hainaut.

C'est un immense chantier. Comme partout, les ateliers sont transformés en lofts, les petites maisons de travailleurs agrégées en duplex et les jardins en terrasses paysagées. La brique ouvrière poncée de sa sueur devient tendance.

Lentement, les bourgeois prennent leurs aises sur l'autre rive, lentement, les Belges reconquièrent leur Maroc.

« Voilà, vous y êtes. »

Le chauffeur s'arrête devant un mur d'usine graffité de tags blancs.

Karim pénètre dans une immense cour entourée de bâtiments en brique.

C'est l'une des plus anciennes brasseries de Bruxelles, abandonnée dans les années quatre-vingt-dix et rachetée par un groupe hôtelier allemand.

Karim entre par une imposante baie vitrée ouverte dans une façade aveugle du bâtiment principal.

L'endroit a gardé tout son caractère industriel.

Une hauteur de huit mètres sous plafond, des murs de béton brut, des gaines d'aération qui serpentent au-dessus d'un hall démesuré, encombré d'une multitude de canapés posés dans tous les sens, d'un baby-foot, d'un billard et d'un bar à bière sans fin.

Sur les murs, des artistes de rue ont recouvert la crasse des ateliers de toiles colorées.

Un concept hybride entre l'hôtel classique et l'auberge de jeunesse.

Ici, on peut dîner au restaurant ou faire sa cuisine, dormir en chambre double ou prendre un lit dans un dortoir mixte.

L'idéal pour passer inaperçu quand on a trente ans et qu'on transite par Bruxelles en route pour le djihad.

Karim se demande si Abou Walid est venu repérer l'endroit lui-même.

Il l'imagine, attablé au bar.

La réceptionniste lui sourit.

Elle est jeune et belle.

« Chambre ou dortoir ?

— Une chambre, s'il vous plaît.

— Simple ? »

La question l'électrocute.

Il réalise que plus jamais sans doute il ne dormira aux côtés d'une femme.

« Vous connaissez l'hôtel ? »

Elle lui tend un prospectus.

« C'est un bâtiment neutre. Nous ne produisons aucune émission de CO_2. Les murs ont été isolés pour ça. Il y fait en permanence 21 degrés, les vitres se teintent automatiquement pour garder cette température et tout le toit est couvert de panneaux solaires pour nos besoins en énergie. »

Karim revoit les images des chars crachant leur fumée noire dans les rues d'Alep et des colonnes de flammes montant des immeubles soufflés par les barils de TNT largués du ciel par l'aviation de Bachar.

Le monde fait vraiment le grand écart.

« J'attends un ami, Anthony Oriane. Vous savez s'il est arrivé ? »

La jeune femme consulte ses réservations.

« Non, il a précisé qu'il n'arriverait pas avant 17 heures. Il a demandé qu'on lui garde sa chambre. »

Elle sourit.

« Vous pouvez l'attendre au bar si vous voulez. On ne fabrique plus d'alcool mais on en sert. »

Il meurt d'envie d'une bière.

Elle lui conseille la Belle Vue.

« Elle était brassée ici. »

Il la regarde et pense à tout ce qu'il s'apprête à abandonner.

Bombé sur le mur, un John Lennon jaune et bleu le supplie du regard de rentrer à Paris et de donner une chance à la paix.

La mousse fraîche apaise un peu sa gorge sèche.

Le téléphone le réveille. Il s'est écroulé tout habillé sans défaire le lit, la photo de Charlotte dans la main.

« Allô ?

— Oui.

— Abou Karim ? »

Il n'a pas encore l'habitude.

« Oui.

— C'est Anthony. »

La voix est douce et calme.

« On peut se voir ? demande-t-elle.

— Bien sûr. Tu es où ?

— Dans le hall. »

Karim remet Charlotte dans la doublure du sac.

« Je descends. »

Le garçon est un souleveur de fonte.

Il a dû passer du marcel fluo à la barbe il n'y a pas très longtemps.

Un mètre quatre-vingt-dix, la carrure de Mohamed Ali et la peau aussi, du même noir mat.

C'est son sosie parfait.

« Assalamu alaykoum », murmure-t-il en se touchant le cœur.

Karim lui trouve dans le regard la même douceur que celle du champion. Cette gentillesse qui désarmait ses muscles et l'obligeait toujours à en rajouter pour avoir l'air plus méchant.

« Wa alaykum assalam. »

Il est sur ses gardes comme un écureuil perdu au milieu d'une pelouse.

« Il vaut mieux qu'on parle français, lui propose Karim en cherchant un endroit où se poser tranquillement. On fait un baby ? »

Il a l'impression de lui avoir proposé une partouze.

« Non, c'est haram, mon frère ! » s'offusque Anthony.

Karim l'ignore et choisit les rouges.

« Laisse tomber les "mon frère" et fais une partie, s'il te plaît. On doit avoir l'air de touristes. »

Anthony s'exécute et engage avec les bleus.

Karim est surpris. Ses grosses mains sont habiles.

« Tu fais quoi dans la vie ? demande-t-il en évitant d'en prendre un premier.

— Je travaillais chez Peugeot à Sochaux comme soudeur, et toi ?

— Je monte des films. »

Anthony s'arrête brusquement de jouer.

« Pour la télé ? »

Karim le sent contrarié.

Il modère.

« Oui, enfin, de temps en temps. »

Anthony reprend la partie.

« C'est plein de mécréants à la télé, mon frère, c'est pas bon.

— Je sais, c'est pour ça que je pars », ment-il.

Anthony bloque la balle, la balaye et marque d'une pissette.

Un-zéro pour les bleus.

« Putain, tu fais pas semblant ! »

Il est sensible au compliment.

« Merci, il y avait un baby au CE de Sochaux. »

Engagement.

« Ça fait longtemps que tu te prépares ?

— Deux mois », dit Karim.

Il coince la balle sur un côté du baby et la claque de son arrière. Elle décolle, survole les joueurs et rentre dans le but. Parachute. Figure de pro. Un partout.

Anthony admire le geste.

« Pas mal !

— Il y avait un baby au foyer des étudiants. »

Il se détend un peu.

« Et toi ? lui demande Karim.

— Quoi ?

— Tu te prépares depuis longtemps ?

— Comme toi. J'ai attendu de vendre mes meubles pour payer l'avion. »

Karim en profite pour lui mettre une gamelle.

Deux à un.

Anthony masque un peu.

Il tente une roulette. Karim l'arrête.

« Tu crois que ça va bien se passer ?

— Quoi ? Là-bas ? »

Anthony le regarde, méfiant.

« Non, mon frère, pourquoi tu voudrais que je m'inquiète du paradis ? Tu doutes encore, toi ? »

Karim essaye de se rattraper. Il faut qu'il soit plus prudent.

« Non, au contraire, j'ai hâte. J'ai cru que toi, tu doutais. »

Il mouline avec ses demis et réduit le score d'une cuillère.

Deux-deux.

Anthony ne réagit pas. Quelque chose le tracasse. Karim espère qu'il ne l'a pas rendu méfiant. Il faut qu'il fasse attention. Bientôt, il n'aura plus droit à ce genre d'erreur.

Il se dit que jamais il n'arrivera à mentir sur tout. C'est lui qui doute maintenant.

Du haut de son mur, John Lennon le supplie toujours. Il est à deux doigts de l'écouter. De se verser une bière et de dire à Anthony qu'il renonce. De tenter quelque chose avec la réceptionniste, pour oublier toutes ces conneries, pour nettoyer tout ce sang devant ses yeux, de rentrer à Paris décrocher les parents de Charlotte, d'ouvrir grand les fenêtres de leur salon, de remettre de la lumière dans son existence et dans la leur, de laisser crever tous ces abrutis là-bas, un par un dans les ruines d'Alep, comme les rats qu'ils sont, sans leur offrir sa vie en plus.

« Non, je m'inquiète pour l'aéroport », dit Anthony en le ramenant à la partie.

Il en profite pour lui mettre un moulinet.

Trois-deux.

Karim se reprend.

« Ne t'inquiète pas. Les Belges sont cools. Il n'y a jamais rien eu ici. Les frères les laissent tranquilles. Ils ont trop besoin d'eux. Tout ira bien, Dieu veille sur nous. »

À l'évocation d'Allah, Anthony lâche aussitôt ses joueurs et se passe les mains sur le visage en signe de respect.

Karim ne rate pas l'occasion.

Trois-trois.

« À quelle heure est l'avion demain ? demande-t-il.

— À 13 h 30.

— Alors, on se voit au petit déjeuner, je vais aller à la mosquée. »

Karim hésite.

« Ce n'est pas très prudent », dit-il

L'autre se cabre à nouveau.

« Quoi, de m'en remettre à Dieu ?

— Non, ce n'est pas ce que je voulais dire, c'est mieux de ne pas se faire remarquer.

— Ne t'inquiète pas, mon frère, j'ai encore plus de raisons que toi d'arriver là-bas. »

Il a l'impression qu'il lui scanne le cerveau.

Il est 21 heures. À nouveau, Karim s'est endormi. Depuis la mort de Charlotte, le sommeil lui tombe dessus et l'emporte comme une pluie de mousson.

C'est la seule chose qui lui fasse du bien, qui l'arrête de rembobiner sa vie, de monter et démonter la suite, de changer cent fois la fin.

Le téléphone le réveille. C'est Anthony. Il veut le voir chambre 437.

Ça ne sent pas bon. Il n'y a aucune raison.

Il vérifie rapidement la corbeille d'Abou Walid. Rien.

Comme convenu, il a laissé un message dans la sienne pour lui dire que la rencontre avait eu lieu. Sauf urgence, ils ne sont pas censés se contacter avant la Syrie.

Ça l'inquiète.

La chambre d'Anthony est au quatrième. En montant dans l'ascenseur, il interrompt deux Suédoises très amoureuses. Encore du grain à moudre pour les intégristes.

Elles sont pourtant jolies, collées l'une à l'autre.

Il les abandonne au quatrième. Elles reprennent leur baiser.

Anthony entrouvre sa porte. Il a le regard d'un mauvais jour.

« Il y a un problème, il faut que je te parle.

— Qu'est-ce qui se passe ? bredouille Karim troublé.

— Je crois qu'Abou Walid ne va pas être content. »

Il veut faire demi-tour.

Anthony le retient de sa poigne de boxeur.

« Jure-moi que je peux te faire confiance, mon frère. »

Karim est prêt à tout avouer mais se surprend à jurer.

La porte s'ouvre.

Une femme est assise sur le lit.

« Je te présente Sarah », dit-il.

Elle est jolie. Elle porte un jean gris, des baskets, un blouson de cuir de petite qualité et, noué autour de ses cheveux, un foulard jaune et bleu comme John Lennon qui lui donne un faux air de jeune fille à la perle.

« Je t'avais dit que j'avais plus de raisons que toi d'arriver là-bas », sourit Anthony gêné.

Karim la salue de loin. Elle a vingt-trois ans à peine et les mêmes grands yeux que Charlotte. Elle le bouleverse. Elle semble si douce. Que va-t-elle chercher là-bas qu'elle ne trouve pas ici ?

« Elle vient avec nous ? interroge-t-il.

— Bien sûr. C'est mon épouse devant Allah. »

Il lui demande pourquoi il n'en a pas parlé à Abou Walid.

Anthony hésite, à nouveau embarrassé, puis ouvre la porte de la salle de bains.

« À cause de lui », dit-il.

Il découvre une bouille ronde coiffée d'une touffe de cheveux crépus. Le gosse porte encore des couches de nuit. Il s'appelle Adam, il a deux ans et demi.

Cette fois, Karim s'assoit, sans jambes.

« Dis bonjour à Abou Karim, mon fils. »

Adam lui saute dans les bras. Il est tout chaud et sent bon le shampoing.

Pourquoi risquer tout ce bonheur auquel lui n'a plus droit ? Pourquoi emmener un enfant sur des chemins pareils ?

« Dès qu'on a vu qu'il y avait la loi d'Allah sur terre, on n'a pas hésité, dit Sarah avec une troublante sérénité. On veut pouvoir l'élever comme un bon musulman. »

Elle lui enlève délicatement son fils des bras. Il aurait voulu le garder encore un peu.

Il sent une incroyable détermination dans leurs regards.

Les guerres font normalement fuir les mères, celle-ci au contraire les attire.

« Alors ? demande Anthony.

— Alors quoi ?

— Tu crois qu'Abou Walid va m'en vouloir ? »

Karim le rassure :

« Non, au contraire. »

Il lui revient des images d'enfants s'entraînant à égorger des ours en peluche dans un camp de Daech.

Il se garde bien de lui en parler et laisse Adam s'endormir dans les bras de Sarah.

Demain est un autre jour.

À l'aéroport, Karim a du mal à retenir sa colère. Personne ne les arrête. Ils passent comme un revers de Federer.

Adam a même droit à des bonbons de la part des policiers belges.

Même chose à Istanbul. C'est comme si Daech n'existait pas.

Les douaniers s'amusent à planter leurs stylos dans ses cheveux crépus.

Sarah rayonne.

« Tu as vu comment Allah les a aveuglés, mon frère ! » Elle y croit.

Anthony se démène avec les chauffeurs de bus sur le parking.

Il faut deux heures et demie depuis l'aéroport Ataturk pour rejoindre celui de Sabiha Gokcem, d'où partent les vols pour Gaziantep, à la frontière syrienne.

Un voyage sans intérêt à travers le chaos des banlieues turques, sales et défoncées.

Bonne surprise, l'avion est à l'heure.

Le fatras continue à l'enregistrement. Une hôtesse habituée aux insultes subit l'assaut d'hommes dégoulinants de sueur et de graisse, brandissant leurs billets comme des sabres, prêts à la décapiter pour placer avant tout le monde leur marmaille tout aussi ruisselante.

Karim pioche dans le Routard une arme pour se défendre.

« Yeter Artik ! hurle-t-il. Ça suffit ! »

Anthony joint le geste à ses paroles et attrape par le col l'homme de tête d'un convoi de gros malpolis et lui fait faire marche arrière avec l'habileté d'un vieux routier.

À l'intérieur de l'avion, dans la tranchée centrale, c'est la guerre.

Tout le monde veut se débarrasser de ses valises en trop pour ne pas se les colleter tout le voyage sur les genoux.

Les compartiments à bagages se remplissent comme des fosses communes.

Karim est obligé de rendre à sa propriétaire, assise dix rangs plus loin, un sac bourré de tabac à narguilé pour pouvoir y mettre le sien.

Ça sent la pomme et la cannelle.

Finalement, le pilote annonce le décollage, « si Dieu le veut », et tout le monde se rassure en égrenant un chapelet.

Gaziantep est l'une des plus vieilles cités du monde.

Comme une putain, elle s'est laissé prendre au long de son histoire par le monde entier.

Elle s'est offerte aux Perses, aux Grecs, aux Romains, aux Byzantins, aux Mongols, aux Mamelouks, aux Arméniens, aux Croisés, aux Ottomans, et garde en elle une trace de toutes ses étreintes.

Des stèles hittites, des bas-reliefs assyriens, une cathédrale néo-renaissance, une mosaïque romaine d'Ulysse retrouvant Achille, une forteresse seldjoukide, copie miniature de celle d'Alep, et une mosquée construite pour un descendant de la fille du prophète dont l'écroulement annoncera le début de l'apocalypse.

Il y a quatre mille ans, le Tigre gorgeait déjà ses terres

d'eau claire descendue tout droit des hauts plateaux d'Arménie.

Le coton, le piment rouge, le raisin, les lentilles, le blé, l'avoine y poussaient en abondance. Elle sentait bon l'olive et l'anis.

Aujourd'hui, on n'y respire plus que l'huile de moteur et les immeubles de rapport fleurissent plus vite que les cotonniers.

L'été, la ville brûle à faire cuire ses murs, l'hiver, elle gèle à les faire fendre.

L'hôtel Guluoglu est situé au-dessus de la pâtisserie du même nom.

La vitrine dégouline de gâteaux au miel et à la noix. On y expose les plus belles amandes de Turquie et le meilleur baklava du monde.

La recette est née ici. Trente-trois fines feuilles de pâte, en référence à l'âge du Christ, empilées dans un plat rond en fer-blanc et, entre elles, un mélange de fruits secs concassés, détrempés d'eau sucrée parfumée à la fleur d'oranger, saupoudrés de girofle et cuits au four.

La mère de Charlotte en servait parfois avec un café qu'elle faisait mousser dans une cafetière en cuivre au col étranglé. Elle les déposait en petits losanges gorgés de sirop sur le bord des soucoupes.

Le miel collait aux lèvres et aux doigts.

Une fois les tasses vides, elle aimait les retourner et lire l'avenir dans les coulures du marc où scintillaient des présages.

Pourquoi n'y avait-elle jamais deviné Aurélien et sa ceinture de clous, toutes ces vies en miettes au Zébu

Blanc, le long chemin de croix des yézidis, Daech et ses colonnes d'abrutis ?

Il n'aurait alors pas fini là, dans cette ville sans âme.

Le réceptionniste leur tend les clefs.

Les chambres sont tristes. Des moquettes fatiguées aux motifs trop présomptueux pour un mobilier en formica et des salles de bains bricolées.

Adam saute sur le lit. Sarah vide les sacs. Anthony débloque la carte Sim achetée à l'aéroport et Karim compose aussitôt le numéro d'Abdel.

L'homme parle à peine anglais. Quelques mots appris en gardant des otages et défoncés d'un accent de nulle part.

Karim veut qu'il prévienne tout de suite Abou Walid de la présence de Sarah et d'Adam.

Impossible.

Pourquoi ?

Parce qu'il est mort en martyr sur le sentier d'Allah, hier à Alep, dans la grande bataille du district d'Al-Bab.

Tout le monde s'assoit sur le lit, sonné.

Même Adam arrête de jouer. Anthony entame la prière des morts.

Abdel les rassure. Quelqu'un d'autre viendra les chercher pour passer la frontière.

Il faut attendre que les choses se calment, que les frères repoussent les infidèles et sécurisent la route. Qu'ils enterrent leurs morts.

Karim demande si ça va prendre du temps.

Quelques jours peut-être, une semaine au plus.

Sarah n'aime pas ça. Anthony fait semblant de ne pas être inquiet.

Abdel leur demande de prévenir Lila.

Tout le monde se regarde.

Qui ?

Lila, chambre 315. C'est une sœur française, arrivée la veille, explique-t-il.

Et alors ?

Alors, il compte sur eux pour s'occuper d'elle.

Qu'Allah les garde et les protège, dit-il avant de raccrocher.

La chambre 315 a des rideaux rouges.

« C'est cool de vous voir ! » s'exclame Lila en leur ouvrant.

Elle ne lâche pas son portable à la coque rose.

Elle a quinze ans, un sweat à capuche vert, un pantalon de jogging gris, un faux sac Vuitton et les dents de Vanessa Paradis.

« Vous voulez une limonata ? C'est le truc d'ici. »

Elle leur sert de grands verres d'eau citronnée à la menthe.

« Putain, ça craint ! » dit-elle en apprenant la mort d'Abou Walid.

Elle leur raconte qu'elle a passé la douane avec le passeport de sa sœur, qu'elle a enrhumé tout le monde, que depuis son départ sa mère est comme une dingue et qu'elle n'arrête pas de lui textoter de rentrer à la maison et surtout de ne pas faire de conneries.

« Tiens, regarde. »

Elle tend son iPhone à Karim.

« Elle est sérieuse ? Revenir là-bas ? Jamais, je kiffe trop ici, moi. »

Elle lui reprend le téléphone.

« Franchement, je croyais que c'était mort en partant, sérieux, tu trouves que je ressemble à ma sœur ? On dirait qu'ils en ont rien à foutre, les flics, qu'on parte, au contraire, ça les débarrasse. »

Elle attend un Skype avec Hicham.

C'est son mari. Enfin, presque. Ils se sont dit oui par téléphone la veille de son départ, lui à Alep, elle à Creil, et doivent régulariser en arrivant.

« Il dirige une katiba, un groupe avec des armes, un truc de ouf. »

Elle cherche une photo.

« On s'est rencontrés sur Facebook. Avant, j'étais haram, je fumais, je buvais, je me foutais de tout, même pas je calculais où c'était l'entrée de la mosquée ni les prières, ma mère, elle savait plus quoi faire de moi, et puis il m'a ouvert les yeux avec l'islam et tout ça. Maintenant, j'te jure, il n'y a plus qu'Allah qui compte. »

Elle est montée sur pile, s'arrête, prend une gorgée d'eau citronnée et repart.

Sarah regarde la photo d'Hicham, une vingtaine d'années, tenue de treillis et bandeau dans les cheveux.

« Franchement, il est beau gosse. C'est un Syrien ? »

Lila embrasse l'écran.

« Un Algérien comme moi, pas un Rebeu, un vrai du bled. Putain, elle est trop conne ma mère, elle devrait être contente. »

Elle s'amuse à montrer la photo à Adam.

« Et vous ? C'est chaud de faire la hijra avec le petit, respect, quand on voit toutes les vies de merde qui continuent à prendre le RER. »

Anthony lui raconte l'usine, l'appartement, Bruxelles, Istanbul, le mensonge à Abou Walid.

Elle admire.

« C'est swag, mon frère, t'étais posé à Sochaux et tu as cramé un CDI pour Allah. »

Karim la regarde. Elle est à la frontière syrienne et on la croirait assise sur les marches du lycée.

Elle lui demande son histoire.

Il calque sa vie sur celle d'Aurélien. Aubervilliers, le bac, la prépa puis la galère et sa conversion par la fonte en salle de gym.

« Et t'es marié ? »

Il n'a pas vu venir le coup. Il bugue, bredouille.

C'est Sarah qui joue le gong et lui évite le K.-O.

« Tu vois, dit-elle en changeant Adam, c'est pour ça qu'on l'emmène. Nous, on n'a pas eu le choix, on a fait avec ce qu'on nous a donné. L'alcool, la drogue, tout ça. Là-bas, il ne pourra pas se perdre, il n'y a qu'un seul sentier. »

Anthony acquiesce.

« Déjà, il n'ira pas à l'école avec les filles. Moi, c'est à cause d'elles que j'ai fini ouvrier. Parce que, dès que tu nous mélanges, nous les mecs, on devient cons. »

Le téléphone sonne.

« C'est Hicham », hurle Lila en courant s'enfermer dans la salle de bains bricolée.

Karim se demande ce que va devenir ce drôle d'équipage.

Une ado prête à passer de Candy Crush à Call of Duty, Mohamed Ali qui préfère la guerre à la mixité, une mère qui va bientôt faire jouer son enfant dans les ruines et lui, déjà mort mais qui continue à courir comme un canard sans tête.

Si tout ça arrive en Syrie, se dit-il en vidant son verre, alors Allah existe peut-être vraiment.

Lila ressort en couvrant de baisers son téléphone.

« C'est génial, Hicham m'a trouvé un hôpital, je vais soigner les enfants victimes de Bachar, et vous savez quoi ? » ajoute-t-elle.

Non, ils ne savent pas.

« Il m'a dit qu'on aurait une maison avec piscine et qu'ils construisent un immense centre commercial avec toutes les grandes marques, Guess, Gucci, Maje et tout le bordel, un truc où tu rentres et où tout est gratuit pour ceux qui ont fait leur hijra ! »

Sarah s'étonne.

« On peut tout prendre sans payer ?

— Oui, c'est ce qu'il m'a dit. Là-bas, tout ce que tient ta main droite t'appartient. »

8

La guerre, c'est comme une rentrée au collège. On est malade la veille, et toute la nuit ça retourne le ventre.

Il faut anticiper, repérer, éviter les pièges, les bandes, obéir, rejoindre les rangs, exécuter les ordres, affronter ceux qui savent déjà, se soumettre, au début du moins, le temps d'apprendre à survivre.

Le cerveau de Karim bouillonne.

Il a épuisé l'entre-deux, ce temps précieux qui sépare chaque décision du moment de son exécution.

Son approche est terminée. Brusquement, la piste est devant lui.

C'est le moment de tenir sa parole, d'atterrir ou de se détourner.

Il cherche du courage dans le visage de Charlotte. Elle est morte depuis huit jours seulement et il est déjà si loin. Ça pourrait ressembler à une fuite.

Il a envie de tirer sur le manche, de reprendre un peu de hauteur, de refaire quelques boucles pour se donner du temps.

Il a peur de s'écraser. De mourir avant même d'être vengé, d'imposer une double peine pour rien à ceux qu'Aurélien a déjà crucifiés.

C'est trop tard.

Le minibus s'est garé devant la pâtisserie. Le chauffeur klaxonne.

Les autres ont déjà leurs cartables sur le dos. Adam est si jeune pour affronter le collège. Lila, Sarah et Anthony n'ont même plus le souvenir d'y avoir été. Ils n'en ont rien retenu.

Ils n'ont aucune idée non plus de la pièce dans laquelle ils s'apprêtent à jouer.

Karim les regarde s'entasser vers leur destin et, malgré sa rancœur, il a du mal à les détester.

La route est une longue enfilade de villages sans nom et de terres séchées à perte de vue. De temps en temps, un barrage de l'armée rappelle que la frontière est toute proche.

Elle a été arbitrairement tracée, sur un bout de papier, comme beaucoup de frontières, pour le bonheur des uns et le malheur des autres, sans tenir compte des peuples, de leurs différences, de leurs souffrances et de leur histoire.

C'était au début des années vingt, après la première des guerres mondiales, celle à neuf millions de morts.

La France, l'Amérique, l'Italie et l'Angleterre redessinaient le monde en taillant allègrement dans l'Allemagne et l'Empire ottoman vaincus.

L'Irak devenait indépendant mais placé quelques années sous mandat britannique, la Syrie aussi, mais amputée du Liban et sous mandat français.

Les Allemands perdaient l'Alsace et la Lorraine.

Les Kurdes retrouvaient un État sur le papier qui n'existera jamais.

Les Arméniens, victimes du premier génocide du

XXe siècle, eurent droit à une indépendance fragile à laquelle les Turcs mirent fin deux ans à peine après sa proclamation.

Car la Turquie, vaincue, par un tour de passe-passe dont elle a le secret, finit par se retrouver vainqueur, promettant en échange de sa victoire d'en finir avec l'obscurantisme des sultans et de mettre à la disposition de l'Europe une république laïque et démocratique capable de jouer les gendarmes dans la région.

Les Américains y crurent. Promesse de Gascon.

Coup d'État après coup d'État, les militaires turcs confisquèrent la démocratie et, en mars 2002, les islamistes modérés de l'AKP, le parti du président Erdogan, jetèrent un premier voile sur la laïcité.

Le gendarme se montra finalement incapable d'empêcher l'embrasement de son voisin syrien. Beaucoup le soupçonnent même d'avoir soufflé sur les braises en laissant sa porte ouverte à tous les trafics et aux hommes de Daech.

Karim regarde le ciel, qu'aucune frontière ne sépare jamais. Il est bleu pétrole. C'est la richesse de la région.

La raison de la guerre aussi, dit-on.

La Syrie est un passage stratégique pour l'acheminement de l'or noir. Tous les producteurs se disputent ses plaines et ses déserts.

En 2009, le Qatar, indéfectible allié des États-Unis, propose à Damas la construction d'un pipe-line pour faire parvenir jusqu'en Europe le pétrole de ses gisements du Nord.

Depuis la chute du mur de Berlin, Washington rêve de voir diminuer la dépendance des Européens envers le gaz et le pétrole russe au profit de celui de son allié du Golfe. Ce pipe-line en est l'occasion.

Mais Moscou, très proche de Bachar al-Assad, réussit à convaincre le dictateur de favoriser le projet concurrent, celui des Iraniens, grands pourfendeurs des Américains.

La Syrie a la tête sur le billot. Son sort va se jouer sans elle, en dehors de ses frontières.

Pour les uns, il est urgent de faire tomber le président syrien avant qu'il ne pactise avec l'Iran.

Pour les autres, il est urgent de le maintenir debout pour lui faire signer l'accord.

En mars 2011, contre toute attente, soufflé dit-on depuis l'étranger, le vent des révolutions arabes parvient jusqu'à Damas.

C'est le début du chaos.

Quatre mois plus tard, dans le palais présidentiel assiégé, les diplomates iraniens arrachent in extremis un accord autorisant leur gazoduc.

Voilà pourquoi aujourd'hui le Qatar arme Daech, pourquoi les Russes veulent à tout prix asseoir Bachar à la table des négociations et pourquoi les Iraniens envoient leurs gardiens de la révolution mourir pour Damas.

Une fumée noire monte au loin de la petite ville syrienne d'Al-Rai.

Un obus sans doute.

Karim réalise que l'horreur n'est qu'à un jet de pierre.

Comme toujours, un rien sépare la guerre de la paix.

Derrière les champs d'oliviers, déjà les champs de ruines.

Lila écoute le dernier message de sa mère. Il est désespéré.

« La conne, dit-elle, elle croit que je suis à Beauvais. »

Comment pourrait-elle l'imaginer à Elbeyli, si loin de son HLM, à deux mille neuf cents kilomètres des tours du Plateau de la cité des Hauts de Creil ?

Karim lui enlève ses écouteurs.

« Et si tu n'aimes pas là-bas, ose-t-il, si Hicham est un mauvais mari, tu as pensé à ça ? »

Elle s'en fout.

« Je trouve une caisse et je bouge. Ou bien j'appelle un pote pour qu'il vienne me chercher. »

Elle se croit en route pour le centre aéré.

À l'arrière, Adam regarde *Le Livre de la jungle* sur le téléphone de son père.

Anthony lui chante Baloo :

Tout est résolu lorsqu'on se passe des choses superflues
Alors ne t'en fais plus
Il en faut vraiment peu pour être heureux
Oui très peu pour être heureux

Le gosse s'amuse à regarder son père faire l'ours. Ça lui va tellement mieux que de vouloir jouer les Rambo, se dit Karim.

Personne ne fait attention aux familles de réfugiés qui remontent la route, chargées comme des mules, les pieds meurtris, tournant le dos à toute leur vie.

C'est Lila qui les voit la première.

« Les rats », hurle-t-elle en remettant ses écouteurs.

Elle ne connaît rien au drame auquel elle va prendre part.

Juste deux, trois conneries pêchées sur Internet. Elle les résume par une phrase du Coran qu'elle textote à sa mère comme unique réponse à son désespoir :

« Émigrez, émigrez, je vous promets abondance et refuge, a dit Allah. »

Ils sont déjà vingt-cinq mille de ce côté de la frontière à avoir fui cette fausse promesse.

Ils sont tellement près de chez eux qu'ils sentent encore l'odeur de leurs champs abandonnés.

Pour une fois, la Turquie s'est montrée à la hauteur. Elle les a installés dignement, en dehors de la ville, dans un camp en dur aux immenses allées rectilignes.

Quelques rues de terre, deux kebabs, une station-service, un hôtel, Elbeyli est une ville de rien, perdue au milieu des champs, à un kilomètre seulement de la Syrie.

Un endroit où normalement personne ne devrait mettre les pieds.

Mais l'histoire aime à s'amuser des destins, brouiller les cartes et, brusquement, depuis le début de la guerre, la terre entière s'y croise, réfugiés, djihadistes, services secrets, journalistes, humanitaires, et trafiquants.

Le chauffeur se gare devant une immense porte en fer et les fait entrer dans une cour à l'abri des regards.

Les passeurs sont déjà là. Ils ont aligné quatre 125-Kanuni noires, des motos « made in Turkey », la fierté du pays.

Une vieille au visage tatoué d'étoiles et de serpents leur porte des cafés.

Elle fait pleurer Adam.

Accrochées aux piliers en bois qui soutiennent une véranda, deux peaux de hyène sèchent à l'ombre, couvertes de mouches vert et noir.

Le chauffeur leur demande de poser chacun 100 dollars sur une table en plastique anciennement blanc.

Deux des quatre hommes attachent déjà les sacs à dos sur les porte-bagages. On dirait qu'ils ficellent des otages.

L'ambiance et les visages se tendent brusquement.

La crasse sous les ongles et sur les murs, la morve au nez des enfants, la dureté des regards, les couteaux à la ceinture, rien ne les rassure, rien ne leur ressemble.

Pour la première fois depuis Bruxelles, ils ne vont plus avec le décor.

À Istanbul, à Gaziantep, ils pouvaient encore mettre fin à l'histoire, se fondre dans la foule, disparaître.

À Elbeyli, pas de retour possible, il est trop tard, aucun d'eux ne peut plus arrêter le décompte, ils sont sur le pas de tir, dans la seringue, dépendants d'hommes à qui d'ordinaire ils ne confieraient pas leurs poubelles.

Aucun d'eux ne le sait encore, mais remettre sa vie entre les mains d'un passeur est statistiquement plus dangereux qu'une partie de roulette russe.

Deux chances de survie seulement contre cinq.

Soit l'homme est honnête et vous fait traverser pour 100 dollars, soit il l'est moins et vous dénonce pour 200, soit il ne l'est pas du tout et vous égorge pour les 2 000 qu'il imagine cachés dans vos chaussures.

Et inutile d'essayer de deviner sur leurs visages lequel creusera le trou pour vous enterrer vivant. Ils sont imperturbables, comme des joueurs de poker, c'est leur gagne-pain.

Les frontières sont pleines de leurs cimetières improvisés.

Le plus vieux des passeurs répartit les charges.

Anthony et Adam sur la première moto.

Sarah sur la deuxième.

Lila sur la troisième.

Karim sur la dernière.

La vieille aux étoiles et aux serpents tend deux foulards noirs aux femmes et refait pleurer Adam.

Le chauffeur traduit les ordres dans un anglais approximatif.

Interdit de parler.

Interdit de téléphoner ou de prendre des photos.

Interdit de descendre en marche quoi qu'il arrive.

Si la police intervient, il faut lever immédiatement les bras et criez « Fransiz ».

Si d'autres hommes armés interviennent, ordre de se coucher immédiatement et laisser faire les passeurs.

Sarah demande à aller aux toilettes. Il faut passer sous les hyènes et elle renonce.

Au loin, on entend des explosions. Karim se dit qu'elle n'est pas près d'aller pisser.

La grande porte de fer s'ouvre enfin.

Les passeurs se protègent les yeux derrière de grosses lunettes, glissent une arme entre leurs cuisses et font démarrer les Kanuni.

La cour disparaît dans un nuage de fumée d'huile.

« On se croirait dans *Mad Max*, rigole Lila.

— Ta gueule, on t'a dit ! » s'énerve Anthony en serrant fort Adam contre lui.

Et le convoi démarre, sans perturber ni la vieille, qui débarrasse les tasses, ni les grosses mouches noir et vert collées au fond.

Les Kanuni connaissent le chemin par cœur.

Pour sortir de la ville discrètement, elles serpentent entre les murs de terre, pénètrent dans les cours, font des détours par les jardins, se séparent, se retrouvent, reforment un nouveau convoi.

À l'arrière, dès qu'une moto disparaît, les passagers tordent le cou par peur de se perdre de vue.

Ils n'ont plus qu'eux. Ils sont tout ce qu'il leur reste, en attendant mieux.

Elbeyli est un point de passage important pour ceux qui veulent rejoindre le djihad. Il permet d'accéder directement à la zone contrôlée par Daech.

Depuis sa création, en 2013, l'État islamique s'est propagé comme une maladie de peau à tout le nord-est de la Syrie et le nord-ouest de l'Irak, défigurant les anciennes cartes de la région.

Deux cent vingt mille kilomètres carrés, presque l'Angleterre, 6 millions d'âmes aux ordres, plus souvent par peur que par consentement.

À terme, les djihadistes rêvent de rétablir le califat des Abassides. Du VIIIe au XIIIe siècle, il s'étendait de l'Afrique du Nord jusqu'en Asie centrale, et l'islam éclairait le monde de sa finesse et de son inventivité.

À l'époque, la dynastie avait choisi d'installer sa capitale sur la rive occidentale du Tigre, là où le fleuve féconde les plaines et où se croisaient les caravaniers, à l'emplacement du petit village de Bagdad.

Avant d'être réduite aux images de sa prison d'Abou Ghraib, la belle mésopotamienne a longtemps été le centre du monde, une oasis d'art et de beauté, l'âme de la civilisation arabo-musulmane.

Les djihadistes reprochent aujourd'hui à l'Occident de l'avoir oubliée.

De placer le nombril du monde à New York et de mépriser les rives du Tigre.

De ne voir en eux que des Arabes ou des musulmans et d'ignorer les Arabo-musulmans qu'ils ont été.

C'est pour cette raison qu'ils ont frappé New York au cœur. Pour faire repartir celui de Bagdad.

Depuis, ils se relayent inlassablement.

Ils sont près de vingt-sept mille déjà à avoir rejoint le califat.

En 1936, ils n'étaient que vingt mille dans les brigades internationales à essayer de maintenir la jeune République espagnole en vie, et on en parle encore.

Brigadistes et djihadistes ont en commun de vouloir infléchir le cours de l'histoire.

Pour les uns, le monde entier se montrait coupable d'abandonner les républicains d'Espagne et il fallait donc que le monde entier vole à leur secours.

Pour les autres, la terre entière s'est liguée contre l'islam et l'ensemble des musulmans doit donc se mobiliser pour lui.

Karim a du mal à tenir assis sur sa Kanuni noire.

Derrière chacune des motos s'élève un sillon de poussière jaune. Les filles se protègent avec leurs foulards. Lui avale des nuages de terre. Il comprend brusquement l'utilité des lunettes.

Le semblant de piste a disparu.

Ils coupent maintenant à travers une oliveraie délaissée. Le soleil est lourd, à l'ombre des arbres, pour laisser se reposer les femmes et les enfants, des grappes de réfugiés font de courtes haltes.

À la peur qu'il devine dans leurs yeux, Karim comprend qu'il vient de passer en Syrie.

Les hommes ont repris leurs armes à la main.

« Syria ? demande-t-il.

— Yes », lui répond le chauffeur.

Comme des milliers d'autres avant lui, il a l'impression de nager à contre-courant, aspiré dans ce petit bout de califat par les réseaux d'Abou Ziad, l'écorcheur de Mossoul, le recruteur d'Aurélien.

Et il espère bien pouvoir nager jusqu'à lui.

Les motos s'arrêtent.

Le minibus qui les attend porte la trace d'une longue rafale pareille à une ligne de ricochets sur le hayon arrière.

C'est la première chose que remarque Sarah.

La deuxième, c'est sa couleur rouge.

« Ça fait ambulance, rigole le chauffeur, un long type sec au visage effilé comme un silex, le creux des joues rongé par les poils de barbe, en kami gris impeccable.

— Et ça protège ? » demande Anthony.

Sarah et Adam s'engouffrent déjà à l'arrière.

« Non, rien ne protège ici, ça peut juste entretenir le doute. »

Il parle un excellent français.

« Je m'appelle Amin, les Français m'appellent aussi Charles ou Aznavour », précise-t-il en pressant Anthony de monter à l'avant.

Il installe Lila à côté de lui, à la place de sa kalachnikov, qu'il bloque entre ses cuisses.

« Bienvenue sur le sentier d'Allah. »

Les passeurs chargent les sacs à l'arrière et disparaissent aussi discrètement qu'ils sont venus. Pas de tombe à creuser cette fois-ci.

Amin glisse un CD dans le lecteur et enclenche la première.

Le vieux Suzuki ballotte entre les trous, et la voix d'Aznavour sature aussitôt les haut-parleurs :

Vers les docks où le poids de l'ennui me courbe le dos

« C'est quoi ce délire ? » proteste Lila.
Amin monte le son.
« C'est mon prof, crie-t-il, j'ai appris en l'écoutant. C'est le seul CD français que j'ai trouvé à Alep. »
Il se laisse emporter par la musique et tire des bords d'un côté à l'autre de la route avec le Suzuki.

Ils arrivent le ventre alourdi de fruits les bateaux

À part le drapeau noir de Daech étalé sur la planche de bord, rien ne laisse penser qu'ils sont en Syrie. Surtout pas la musique.
La première preuve leur arrive du ciel.
Un Mig rase les collines au loin. Immédiatement, une fumée noire monte de la crête.
« Les chiens de Bachar, explique Aznavour, ils bombardent depuis hier. »
Adam ne voit que Baloo, Sarah devient blanche, Lila est muette pour une fois.
Le minibus fait d'étranges détours. Par moments, il s'arrête, attend qu'un ordre grésille sur le talkie et repart.
Karim n'ose pas demander si c'est à cause des mines.
Finalement, ils retrouvent un semblant de route et de sérénité.

Moi qui n'ai connu toute ma vie que le ciel du Nord

Amin a appris le français de la bouche d'un cordonnier du quartier arménien d'Alep, à l'époque où les différentes confessions se fréquentaient encore.

Au début de la guerre, il a même combattu aux côtés des chrétiens dans l'Armée syrienne libre, un embryon de résistance, composée d'étudiants, de démocrates et d'officiers déserteurs de l'armée régulière, décidée à mettre fin à quarante ans de dictature assadienne.

Mais personne n'est venu porter secours à cette armée raisonnable, alors Amin, comme beaucoup d'autres, a rejoint les hommes de Daech, plus efficaces et les seuls « à vraiment se bouger le cul contre Bachar », comme il aime à dire.

Anthony hésite puis le corrige.

« Mais tu l'as fait pour l'islam aussi, j'espère ! »

Il lui adresse un sourire dans le rétroviseur.

« Bien sûr, mon frère ! »

L'avion repasse.

Lila le suit des yeux à s'en faire mal.

Sarah s'inquiète.

« Il peut nous voir ?

— Oui, mais aujourd'hui on ne l'intéresse pas. »

Il entame un lent décompte.

« Cinq, quatre, trois, deux, un, zéro. »

La colline s'enflamme à nouveau.

Lila ne quitte plus le ciel des yeux.

« Tu es sûr qu'il ne faut pas qu'on se mette à l'abri ? » demande-t-elle.

Aznavour lui tend son arme.

« Non, mais prends-la au cas où. »

Un beau jour sur un rafiot craquant de la coque au pont

Il arrête le van et la fait descendre par sa portière.

« Qu'est-ce que vous foutez ? » s'énerve Karim.

Aznavour rigole.

« La guerre pour l'islam ! » dit-il.

Il arme la kalach et la tend à Lila.

Elle n'a jamais appuyé sur autre chose que sur les touches d'un téléphone.

La rafale part. Elle lui arrache l'épaule.

« Putain, c'est stylé ! » hurle-t-elle.

Une volée de réfugiés affolés décolle de derrière un rocher où ils se cachaient.

Je fuirai laissant mon passé, sans aucun remords

Adam sursaute et pleure.

« Merde, gueule Anthony, vous êtes tarés ou quoi ? »

L'avion repasse. Cette fois, la bombe arrache leur côté de la colline.

« Tu aurais pu l'avoir ? » s'excite Lila.

Sarah s'inquiète.

Derrière eux, un pick-up Toyota soulève la poussière.

« Il vient vers nous », dit Karim.

Amin reprend son arme.

« On y va ! »

Lila grimpe en catastrophe.

Dans un petit ravin en bord de route, les réfugiés font les morts.

Le Suzuki s'arrache.

« C'est qui ? » demande Anthony.

Aznavour accélère encore.

Emmenez-moi au bout de la terre

Karim aimerait qu'il chante vrai.

Le 4 × 4 les rattrape et les colle.

Emmenez-moi au pays des merveilles

Amin a l'air inquiet.
Le Toyota les double par la droite en mordant les cailloux.

Il me semble que la misère

À l'arrière, six hommes leur font signe de s'arrêter du bout de leurs armes.

Serait moins pénible au...

Amin a éjecté le CD.
Un costaud, le poignard à la ceinture, les fait descendre et leur ordonne de se mettre à genoux. Un plus jeune les fouille et leur confisque passeports, argent et téléphones.
Adam pleure, de ne plus pouvoir regarder Baloo.
« C'est quoi ça ? » demande le soldat à Lila.
Elle a deux petits croissants de lune collés sur les ongles des pouces.
Il lui fait signe de les enlever avec du sable.
Dans leurs dos, les balles montent dans les culasses.
Karim frissonne.
Ils cherchent tous le regard d'Amin désespérément.
« C'est notre escorte, murmure-t-il, mais ne leur parlez pas d'Aznavour, c'est haram, j'aurai droit au fouet. »
Et tout le monde reçoit l'ordre de remonter en voiture.
Le pick-up ouvre la route. Les premiers faubourgs du sud d'Alep sont un immense baklava. Il ne reste des immeubles que des couches de béton empilées les unes

sur les autres, collantes de milliers de civils emprisonnés dans les décombres.

C'est leur première vision du piège à guêpes dans lequel ils se sont laissé attirer.

Lila ronge ses ongles nettoyés au sable.

Par moments, des ambulances leur coupent la route toutes sirènes hurlantes.

Des combattants accrochés aux portières brandissent leurs armes vers les toits des immeubles encore debout pour protéger le convoi des snipers.

Adam se blottit dans les bras de son père. Sarah s'est retournée vers eux et lui tient la main pour ne pas voir le labyrinthe de rues barrées de bus calcinés, empilés les uns sur les autres, qui permettent de circuler à l'abri des lignes ennemies.

Elles sont toutes proches.

« On vient juste de prendre cette partie du quartier, explique Amin, à l'est, c'est l'Armée syrienne, au nord, ce sont les Kurdes, Bachar occupe tout l'ouest, une partie du centre-ville et l'aéroport. »

Les deux voitures circulent entre les restes d'immeubles, dentelés d'impacts d'obus.

On dirait des œuvres d'art. La résistance des matériaux a quelque chose de gracieux. Par endroits, une cage d'escalier dépouillée de ses portes et de ses paliers se dresse suspendue au milieu des ruines comme un Calder, à d'autres, un balcon encore chargé de plantes s'accroche par miracle à une façade dont l'arrière donne sur le vide, par moments, la lumière du soleil traverse les plafonds criblés de balles et on les croirait tapissés de constellations. Pégase et sa crinière, le W de Cassioppée, Hercule et sa massue.

Combien de morts sous ces fausses étoiles ? se demande Karim.

Le Toyota fait une embardée pour éviter un cadavre au milieu de la route. Le convoi s'arrête.

Les hommes s'extraient du 4 × 4. C'est un des leurs. Il a une jambe et la tête à l'envers. Il tient toujours son arme à la main.

Le quartier fume encore. Les conduites d'eau, les fils électriques, tout a été arraché, éviscéré.

À l'abri d'une entrée d'immeuble encombrée de gravats, un grand gosse en survêtement Nike, une ceinture de grenades à la taille, leur crie de ne pas approcher.

« Laissez tomber, on essaye de le récupérer depuis ce matin mais il est dans la ligne de tir des snipers et ces enculés ne nous lâchent pas. »

Les hommes se mettent à couvert et font signe à Aznavour de descendre avec tout le monde.

« C'est qui ? » hurlent-ils.

Tout l'équipage de la fausse ambulance court se réfugier derrière la carcasse d'un petit camion-citerne.

« C'est un type du groupe du cheik Abou Amin, leur répond l'homme aux grenades. On va essayer de le sortir de là cette nuit. »

Comme si la voix avait porté jusqu'aux snipers, deux détonations claquent et le mort sursaute, troué deux nouvelles fois au ventre.

— Rahimahou Allah, que Dieu ait pitié de lui », marmonne Anthony en cachant la tête d'Adam dans ses bras.

Lila sort discrètement un deuxième portable de son sac.

« Qu'est-ce que tu fous ? l'engueule Karim.

— Un selfie pour mes potes. »

Elle n'a pas le temps.

Au même moment, un homme de l'escorte traverse la rue en déchargeant son arme à l'aveugle pour rejoindre le gosse en survêtement.

Aussitôt, d'en face s'abat un déluge. Les pierres, les vitres, le béton, tout vole en éclats. Lila en perd son téléphone, et le mort son bras droit.

« On fait quoi maintenant ? » bégaye Karim.

Amin regarde sa montre.

« La prière, mon frère, c'est l'heure.

— Quoi, ici ? Tu plaisantes ?

— Jamais avec ça », lui assure Aznavour.

Déjà les hommes étalent leurs vestes de treillis par terre. Une vieille femme sort de nulle part, une aiguière à la main pour les ablutions.

« Qu'Allah vous garde alertes et vaillants pour que vous chassiez Bachar », dit-elle en versant un peu d'eau.

Elle s'agenouille aux côtés de Lila et de Sarah.

Les combattants lèvent les mains vers le ciel, se prosternent et touchent trois fois du front la crosse de leur kalachnikov.

Adam s'amuse avec une roue de vélo.

Le soleil tombe, enflammant la dentelle de béton. Un petit vent monte et disperse un peu l'odeur de poudre et de gravats.

Pour la première fois, malgré les ruines, les snipers et le mort à la tête retournée, ils se sentent presque bien.

Quelque chose existe ici, se rassurent Anthony et Sarah. Lila ne regrette pas grand-chose non plus à part son téléphone. Même Karim se laisse un peu aller.

Aznavour est le premier à finir la prière.

« Alors, demande-t-il en se relevant, la misère n'est pas moins pénible au soleil ? »

Il remonte les attendre dans la voiture.

La vieille n'a pas le temps de vider le reste de son aiguière.

Un obus de mortier frappe l'immeuble d'en face et enterre vivant le gosse en survêtement.

Sous la chaleur des flammes, sa ceinture de grenades explose et il refait surface, coupé en deux dans un geyser de décombres.

L'air est saturé de poussière. Karim ne voit plus rien.

Il entend juste grincer les chenilles d'un char de l'autre côté de la ligne et se réfugie comme il peut jusqu'au camion-citerne.

Anthony et Sarah ne sont plus là. Adam non plus.

Deux nouveaux obus vomissent leurs jets de gravats et grêlent le sol de débris. Il se protège la tête. Les morceaux de béton frappent sur le toit des voitures comme sur des tambours. Puis à nouveau le noir, la poussière et un silence de mort.

Il rampe sur un corps. C'est la vieille, il la reconnaît à l'odeur de ses vêtements. Elle respire encore mais pas assez pour qu'il s'arrête.

Tout près quelqu'un d'autre pleure. C'est Lila. Il l'entend appeler sa mère. Elle la supplie de venir la chercher, lui promet de ne plus lui faire de peine.

Elle aimerait revenir au temps où, penchée sur la baignoire, elle lui lavait les cheveux, à l'odeur du shampoing pour bébé, aux yeux qui piquent, aux goûters ensemble sur le petit balcon quand elles riaient des garçons qui lui faisaient les yeux doux en bas sur le parking, aux posters de Shakira pour la récompenser de ses bonnes notes, aux câlins en pyjama, aux anniversaires chez

McDo et aux larmes dans ses yeux quand elle lui réci-
tait pour sa fête :

> Tout peut s'user
> Ma vue
> Mes souliers
> Mon crayon
> Ma gomme à effacer
> Mais jamais, jamais, jamais
> Je le promets
> Mon amour pour toi, maman

Et elle avait perdu tout ça, pour les promesses d'un
garçon sur un clic-clac, pour ses caresses aussi. Alors,
tout s'était usé très vite, sa patience à la maison, ses
bonnes notes, ses résolutions, son admiration pour sa
mère, ses promesses de voir son père tous les quinze
jours.

Sans même s'en rendre compte, elle était passée du
balcon au parking, de troisième générale à l'apprentissage, d'un clic-clac à un autre, des caresses aux coups
de reins, puis un jour tout ça s'était usé aussi et elle
avait traîné sa réputation comme un boulet, plantée
là, paumée, seule et sans rien, pendant que les autres
passaient leur permis et leurs examens.

Elle regrettait d'avoir ignoré les mots de sa mère, ceux
qu'elle lui demandait d'écouter quand elles se parlaient
encore, et ceux hurlés à travers sa porte fermée, les
« salope », les « va te faire foutre », les « tu n'es qu'une
ratée ».

Et puis un jour elle en avait découvert d'autres en
surfant sur le Net. Ceux-là avaient donné un sens à
sa colère, une raison à ses échecs, légitimé toute cette

haine qu'elle trimbalait, alors, comme un torrent que rien n'arrête, elle avait dévalé jusqu'ici.

« Lila ?

— Karim ! »

Ses lèvres tremblent.

« Ça va aller.

— J'ai eu peur, putain.

— Ne t'inquiète pas, je suis là, c'est fini. »

Il la prend dans ses bras comme une petite sœur. Elle sanglote. Il lui embrasse le front. Elle le repousse.

« Quoi ?

— J'ai honte. »

Elle s'est pissé dessus.

« On s'en fout, tout le monde pue maintenant de toute façon. »

Lentement, la poussière retombe. Il fait presque nuit.

À côté d'elle, roulé en boule, Adam les regarde. Il a les cils couverts de terre et une plaie au front comme un moineau tombé du nid.

Karim se dégage lentement de Lila et s'approche de lui.

« Ça va, bonhomme ? »

Elle s'inquiète.

« Il est mort ?

— Non. »

Karim le prend dans ses bras et lui caresse la joue. Elle est mouillée de petites larmes. Sa main sert quelque chose.

« Je crois qu'il a retrouvé ton téléphone. »

Lila se force à sourire.

« Ça craint, qu'est-ce qu'il va devenir ici sans ses parents ? Tu crois qu'ils sont morts ?

— J'en sais rien. »

Deux rescapés de l'escorte courent vers eux, cassés en deux pour ne pas servir de cible. Le plus grand est blessé au bras.

Ils hurlent et leur font de grands gestes pour qu'ils bougent.

« Yalla ! Yalla ! »

Karim prend Adam dans ses bras et se lève.

À quelques mètres d'eux, l'ambulance brûle. Aznavour est collé au volant, son grand corps maigre entièrement calciné.

Lila vomit.

Les hommes les pressent. Ils traversent la rue un par un en courant et s'engouffrent dans les restes d'une boulangerie.

À l'étage, une femme allume un feu avec des morceaux du plancher de l'entrée.

Elle leur propose le thé. Les hommes déclinent respectueusement et passent dans l'appartement voisin à travers un immense trou percé dans le mur du salon.

De l'autre côté, toute une famille assise par terre pioche dans une soupe d'herbes sauvages cueillies au plus près de la ligne de front, là où il en reste encore. Plus rien ne rentre à Alep depuis des jours à cause des combats.

Cette fois, c'est le mur de l'une des chambres qui a été ouvert à la masse pour communiquer avec l'appartement d'à côté.

Dans le suivant, un jeune couple lave son bébé dans une bassine à la lumière d'une lampe à pétrole, dans celui d'après une grande sœur fait réviser une leçon d'anglais aux enfants du quartier, puis ils redescendent, traversent une cour où les combattants ont improvisé une fabrique artisanale de rockets, et passent ainsi, sans jamais sortir dans la rue, de cuisines en salons, de chambres à coucher en courettes, de salles de bains en garages, trou après trou, refusant chaque fois l'hospitalité.

Alep, la ville des jardins aux odeurs d'orange et de griotte, la ville aux étroites ruelles où il faisait bon converser à l'ombre des moucharabiehs, n'est plus qu'un immense terrier.

Ils ressortent par une rue inondée d'eau sale. Les égouts éventrés ne se retiennent plus. Ça sent la merde.

Karim protège le visage d'Adam avec sa veste et traverse en courant. Tendue entre les immeubles, une bâche protège des snipers qui tentent quand même quelques cartons à l'aveugle de temps en temps.

Tout le monde s'engouffre dans l'entrée d'un cinéma.

Les affiches criblées d'impacts rappellent encore la dernière séance d'avant la guerre.

Une actrice au décolleté plein de promesses a été rhabillée par deux tracts de Daech collés sur ses seins, et son visage découpé au couteau.

Il fait noir.

On les conduit en haut du grand escalier. Des lianes de pellicule tombent de la balustrade. La salle est à peine éclairée. Un obus a percé le plafond, et le grand lustre en tombant a ouvert en deux une rangée de fauteuils dont le velours, imbibé d'eau de pluie, moisit.

Au pied de l'écran, les hommes de l'escorte qui avaient disparu se font du café sur un réchaud à gaz.

« Karim ? »

Il reconnaît la voix d'Anthony. Adam aussi.

« Papa ! »

La silhouette de Sarah se déplie.

Elle a l'air d'avoir cent ans. Adam court vers elle.

« Dieu soit loué », répète-t-elle en pleurant.

Elle l'étouffe, le couvre de baisers, lèche sa blessure au front, le renifle, jappe son bonheur de le retrouver.

Lila s'affale au premier rang comme si le film allait commencer.

Ce soir, l'histoire se finit bien.

Anthony s'écroule dans les bras de Karim et pleure.

« On a cru qu'il était mort ! sanglote-t-il. Merci de l'avoir sauvé, mon frère. »

Lila a envie d'applaudir comme à la fin de *Sauver Willy* quand Jesse libère son ami l'orque.

Elle le revoit courir sur la digue et l'animal jaillir hors de l'eau pour retrouver la mer.

Le souvenir la réconforte. Elle se pelotonne dans son fauteuil, rassurée ; elle aussi, peut-être, pourra sortir d'ici si un jour la liberté lui manque.

L'escorte leur jette un regard méprisant.

C'est tous les jours que des enfants meurent ici et presque plus personne ne pleure, ça ne sert à rien, ça détourne de l'essentiel et, de toute manière, dans beaucoup de familles, les morts sont plus nombreux que les vivants.

Les miliciens découpent des couvertures dans les plis de l'immense rideau rouge qui tombe sur la scène.

Anthony et Karim s'en drapent comme deux empereurs romains et amusent Adam en s'affrontant à coups d'épées imaginaires. Son rire leur fait du bien.

Sarah ne lâche plus son fils. Les hommes armés, eux, font bande à part autour d'un Coran. Impossible de savoir qui ils sont, aucun ne parle anglais.

Lila s'est endormie avant le générique de fin en serrant fort son téléphone.

Au loin, les bombardements reprennent. Sans doute les avions de Bachar.

« Tu sais avec qui on est ? » demande Karim.

Ils peuvent avoir atterri chez n'importe qui.

Le pays pullule de groupuscules islamistes. Ils se multiplient comme les cellules en se divisant.

La longue liste de leurs noms fait penser à un catalogue de série B : la Brigade de l'unicité, le Front des hommes libres de Syrie, la Conquête d'Alep, les Faucons syriens, les Partisans de la Charia, les Petits-Fils du Prophète, les Hommes libres du Levant, la Brigade de la justice, le Front pour la victoire des gens du Shâm et, bien sûr, l'État islamique en Irak et au Levant.

Entre eux, ils s'échangent les otages, se pillent, s'égorgent, s'enlèvent les volontaires, s'allient, s'assassinent.

« Aznavour nous a dit que nous étions entre de bonnes mains, essaye de se convaincre Anthony.

— Aznavour est mort », lui apprend Karim.

Il accuse le coup.

Les hommes ont fini leur café. Ils font un feu avec des bras de fauteuils et se préparent à la prière du coucher. Ça sent le vernis brûlé.

Anthony lui raconte l'usine, sa rencontre avec Sarah, leurs deux cartes de pointage côte à côte, les menthes à l'eau au comptoir, leurs balades le long de la coulée verte du canal de l'Allan, à Sochaux, sa mère cuisinière des cantines, malade puis enterrée au Maroc, celle de Sarah, postière, folle de ne plus revoir la Tunisie que sur des timbres, leur premier baiser au goût de menthe, leur vie avant l'islam, les soirées mousse en boîte à l'O'Brian, les vacances à La Grande-Motte, les joints et les matchs de foot au stade Auguste-Bonal.

« Tu vois, mon frère, j'allais à l'usine, je pointais, je débauchais, je remplissais un caddie, on s'endormait devant le film et je recommençais. Je croyais que tout ça, c'était la vie, et puis un jour Adam est arrivé. »

Il s'allonge et cale sa tête sur son sac à dos.

« C'est comme si j'avais mis des lunettes 3D. J'ai tout vu autrement. Les crédits juste pour me maintenir hors de l'eau, la carte scolaire qui ne lui laissait aucune chance de faire mieux que moi, les yeux rouges de Sarah le soir à cause des réflexions dans l'escalier et surtout tous les copains d'usine qui laissaient tomber le syndicat pour rejoindre Marine. Chaque fois, c'était une gifle que je prenais en silence. Alors, j'ai fait comme mes parents. J'ai commencé à penser qu'il n'y avait pas d'avenir pour mon enfant dans mon pays et j'ai cherché ailleurs.

— Tu aurais pu trouver un autre endroit.

— Où ? J'ai séché les cours d'anglais, mon frère. Et pour faire quoi ? Pour me retrouver dans une autre usine, avoir encore plus l'impression d'être étranger, voir mes nouveaux camarades syndiqués rejoindre d'autres Marine ? »

Karim s'allonge en face de lui.

« Et Sarah ?

— Quoi Sarah ?

— Ça ne lui a pas fait peur ? »

Il la regarde dormir serrée contre Adam. À dix mètres de lui, elle lui manque déjà.

« Au début un peu si, comme moi. On voyait tous ces fous égorger les otages. J'avais honte d'être musulman. Je trouvais qu'il fallait aller les bombarder, ces connards, leur envoyer l'armée. Et puis, un jour, en surfant sur le

Net, j'ai lu un article qui parlait du califat. Ce n'était pas ce qu'en disait la télé. Ça parlait d'hôpitaux gratuits, de logements et d'éducation pour tous, de justice pour les pauvres, de la fin de la corruption et des passe-droits, de lutte contre la délinquance, de résistance contre l'oppression. »

Il s'arrête un instant comme s'il avait besoin de repenser à tout ce qui l'avait amené à se retrouver dans un cinéma en ruines enroulé dans un bout de rideau.

« Je te jure, on aurait dit un tract de la CGT ! À part l'islam bien sûr, mais moi, je m'en fous, je suis musulman. Alors, j'ai continué à surfer et j'ai fini par comprendre. C'est une révolution, mon frère, et, comme toutes les révolutions, on est obligés de l'imposer, alors c'est normal que des têtes tombent. À partir de là plus rien ne nous a dérangés. La hijra s'est imposée à nos cœurs et je suis allé chez Décathlon acheter les sacs à dos. »

Ce soir, il fait presque frais.

Dans l'encadrement du toit éventré traversent les lumières d'un hélicoptère. Anthony s'enroule dans sa toge de velours rouge.

« Tu sais combien on a fait tomber de têtes en France pendant la révolution ? »

Karim est surpris par la question et plus surpris encore qu'il connaisse la réponse.

« Environ cinquante mille ! J'ai lu ça dans le journal de Daech. Et tous les ans on tire un feu d'artifice pour fêter ça. »

Cette année, il avait promis à Charlotte de l'emmener au Bois-Plage pour le bal des pompiers.

« Et tu as déjà entendu parler de terroristes, toi, le 14-Juillet ? »

Karim ne répond pas. Il est déjà sur l'île de Ré.

Le réveil est brutal.

Brusquement, la salle est pleine, comme au temps où l'affiche pointait ses seins nus dans le hall.

L'homme, en forme de menhir, est entouré d'une trentaine de gardes du corps.

Un gros ventre bardé de cartouchières tombe sur sa ceinture, on dirait qu'il porte un gigot.

Il doit avoir une cinquantaine d'années et a laissé un œil sur une ligne de front quelque part. La cicatrice lui boursouffle le haut de la joue.

À sa main droite, il porte une bague montée d'un lapis-lazuli gravé du nom d'Allah.

Dans l'autre, il égrène un chapelet de jade.

« Ce sont deux souvenirs d'Afghanistan, dit-il en pointant la cicatrice du bleu de sa bague. J'ai perdu l'œil pendant la bataille de Kaboul aux côtés des talibans au printemps 2006 et c'est la pierre qu'ils m'ont donnée pour que je morde dedans pendant qu'on me retirait l'éclat. »

Il parle un assez bon anglais.

Les hommes de l'escorte se sont mis au garde-à-vous. Il est visiblement craint.

Les siens font un mur devant lui pour le protéger des tirs comme au foot.

Lila et Sarah se lèvent et se couvrent la tête.

Adam dort encore.

Il porte une veste de treillis russe et un pantalon de l'armée syrienne, dépouilles à l'ennemi ravies.

Sa tête est coiffée d'un turban noir noué serré comme

celui des mollahs, dont un bout pend en cascade sur son épaule droite.

« Bienvenue au Dawala », dit-il en jouant avec le bout de tissu.

Karim connaît ce mot, c'est comme ça qu'on appelle Daech ici.

Ils sont donc arrivés dans les bonnes mains.

« Désolé pour les désagréments du voyage, mais comme vous le savez le sentier d'Allah n'est pas une longue route tranquille. »

Il aime s'écouter.

Anthony et Karim se débarrassent de leurs toges ridicules.

Il fait signe à ses hommes de se décontracter.

L'escorte prépare aussitôt le thé.

Malgré sa bonhomie, il dégage quelque chose de cruel, d'aussi effrayant que sa boursouflure.

Karim a toujours divisé les gens en deux catégories pour se faire une opinion : ceux par qui il aimerait être interrogé s'il était prisonnier, et les autres.

Lui fait partie des autres.

« Je suis irakien », dit-il en acceptant son thé.

L'homme qui l'a servi se retire en reculant et en baissant la tête.

« Je m'appelle cheik Abou Amin, je suis l'émir de la katiba qui tient ce quartier. »

Anthony se lance.

« Vous savez ce qui va se passer pour nous maintenant ? »

L'émir aspire bruyamment une goulée de thé brûlant.

« Si Dieu le veut, des hommes vont venir vous chercher. Mais la nuit a été dure pour tout le monde, vous savez. Il y a des snipers partout, c'est compliqué de nous rejoindre. »

Adam se réveille. Sarah lui écrase un biscuit avec un peu de thé dans un fond de tasse.

L'émir aboie un ordre. Aussitôt, un homme sort en courbant l'échine et revient toujours plié en deux en lui tendant un verre.

D'un revers de main, le cheik lui fait signe de le donner à Sarah.

« C'est du lait au miel, les enfants sont de jeunes lions pour le califat, il faut les faire grandir du mieux qu'on peut. »

Il a posé trois téléphones devant lui et passe d'un texto à l'autre.

Adam avale par petites gorgées.

« Vous venez d'un pays qui déteste l'islam, vous savez, il va falloir faire doublement vos preuves ici. »

Il fait signe à l'un de ses hommes, qui leur tend aussitôt des papiers.

« Tenez, remplissez ça. »

C'est un questionnaire écrit en arabe et en français.

« On fait comme vous en Europe avec les traîtres qui désertent le califat, on vous enregistre là où vous arrivez. »

Le formulaire à l'en-tête de Daech comporte vingt-trois questions : le nom, le nom du père et de la mère, le pays d'origine, les pays empruntés pour se rendre en Syrie, le groupe sanguin, les domaines de compétence, l'expérience militaire, le niveau de compréhension de l'islam et de la loi islamique et le rôle souhaité au sein de l'armée du Shâm et du Levant.

Karim s'arrache le cœur à recopier le nom et le prénom de ses parents.

Il se demande comment ils vont. Ils doivent s'inquiéter
de ne rien recevoir de New York.

« Je vous conseille de mettre combattant. Si c'est trop
dur, vous pourrez toujours demander à être intégré à
la police des mœurs. »

Il reprend une gorgée de thé.

« À moins que vous soyez candidat au suicide. »

Lila plaisante.

« Vous êtes trop beaux gosses. »

L'émir n'a pas d'humour.

« Rien n'est trop beau pour Allah.

— Et nous ? » demande Sarah.

Il sourit pour la première fois.

« Suivez vos maris et faites-nous des lions. Il y a du
travail dans les hôpitaux aussi. »

Il se lève, ramasse les copies et jette un œil dessus.

« Deux combattants, c'est bien. On en a besoin. On a
perdu sept hommes rien qu'hier. »

Lila se tortille.

« Vous avez des nouvelles d'Hicham, c'est mon mari ? »

Il enfourne les formulaires dans la poche de son treillis.

« Vous ne l'avez pas vu hier soir ? »

Lila est étonnée.

« Non », dit-elle.

Il s'approche d'elle.

« Au carrefour ? »

Elle ne comprend pas son anglais.

Il se retourne vers Karim.

« C'est lui que mes hommes essayaient de récupérer
au milieu de la rue. »

Sarah comprend.

« Qu'est-ce qui se passe ? s'inquiète Lila.

— Ça va aller, lui ment Karim.

— Non, mais, putain, vous croyez que je ne vois pas vos gueules ? »

L'un des hommes la force à se lever.

« Tu ne me touches pas, toi ! » hurle-t-elle.

L'émir lui attrape le bras.

« Ça suffit ! »

Il lui fait mal.

« C'est à moi de m'occuper de toi maintenant. »

Anthony reste assis. Il sent toute la lâcheté du monde peser sur ses jambes.

Karim essaye de s'interposer. Un coup de crosse le plie en deux.

« Tu fais quoi, là ? »

Cheik Abou Amin l'étrangle d'une main.

« Garde ton courage pour le front. »

Lila mord le bras qui la tient. L'émir l'assomme d'une gifle. Les hommes la traînent dehors. Elle leur jette des regards désespérés. Son shopping syrien tourne au cauchemar. Sarah cache son horreur dans les bras d'Anthony.

Karim regarde le cheik ébranler son gros ventre. Adieu les sacs Guess et les lunettes Dolce & Gabbana, Lila va finir écrasée sous les maillots de corps crasseux de son nouveau mari.

Il se demande ce qu'on lui réserve à lui.

« Emmenez la famille ailleurs, ordonne l'émir avant de disparaître, ça risque de secouer ce soir. »

Nouveau branle-bas de combat. L'escorte ramasse les sacs à dos.

Ils s'affolent comme trois chatons d'une même portée qu'on sépare. Tout va trop vite. Karim serre Adam contre lui. L'odeur de vernis brûlé a remplacé celle du shampoing pour bébé.

« Ça va aller, promet-il à Sarah en lui rendant l'enfant.

— Tu sais où on va ? »

Il la prend dans ses bras.

« Je crois qu'ils vous éloignent du front. »

Elle lui saisit la main et le regarde sans un mot.

Elle n'arrive pas à le remercier d'avoir sauvé Adam. Sans doute parce qu'elle sait déjà qu'elle va encore avoir besoin de lui et qu'il ne sera plus là.

« Tu vas y arriver », lui promet-il.

Les hommes les pressent.

Il a l'impression de dire au revoir à des copains de colonie à la fin de l'été.

Anthony l'écrase de son grand corps de Mohamed Ali.

« Prends soin de toi, mon frère.

— Toi aussi et fais attention, tu as tout le temps de rejoindre le paradis. »

Il sourit.

« Tu sais bien que c'est Dieu qui décide, pas moi. »

Adam, impatient, le tire par la main. Karim monte sur l'estrade et les regarde s'éloigner. Derrière lui, le rideau lacéré lui rappelle la jupe anis de Charlotte.

Cette fois, il est seul en scène.

Dans la nuit, un jeune Anglais arrive du front, épuisé. Ils brûlent quelques bras de fauteuils autour d'un café.

James était chauffeur de bus à Bristol, il a rejoint Daech il y a huit mois après une conversion express dans l'arrière-salle d'un kebab tenu par un Turc.

Il veut des nouvelles du championnat anglais. Karim n'en a aucune.

« Et Benzema au Real ?

— Il cartonne, ment-il pour lui faire plaisir.

— Wallah ! Tu imagines s'il venait faire sa hijra ici ? »

L'Anglais lui propose de lui montrer l'ancien stade si ce cochon de Bachar se calme.

Karim lui parle de l'émir et de Lila.

« Je jouais souvent avec Hicham, mon frère, c'était un putain d'avant-centre, qu'Allah prenne soin de lui. »

L'Anglais lui explique que c'est comme ça. Ça s'appelle le « lévirat » dans l'islam. Quand un soldat meurt, son frère épouse sa veuve. Ici, s'il n'en a pas et que sa femme intéresse l'émir, alors elle est à lui.

« C'est dans le Coran, ça ? » s'étonne Karim.

James ne sait pas trop, il ne l'a pas lu jusqu'au bout.

« On n'est pas tous d'accord là-dessus, ça dépend de chaque katiba. Et Nasri à Manchester ?

— Quoi ?

— Il leur fout la honte à ces enculés de United, j'espère ? »

Karim invente encore.

« Il s'est blessé aux adducteurs, je crois.

— Merde ! »

Ça a l'air de lui faire plus de peine que d'égorger un otage.

« Tu sais qu'ici il bat Benzema ?

— De quoi tu parles ?

— De la Djihad Ligue, mon frère.

— Je croyais que le foot, c'était haram !

— Oui, mais on joue sans jouer. Chacun choisit un joueur et on compte nos morts. Moi, c'est Rooney. Et tu sais quoi ?

— Non, avoue Karim.

— Putain, même ici, le meilleur, c'est Messi ! C'est un sniper serbe qui le fait jouer. Vingt buts depuis la dernière trêve. Et il n'a même pas choisi Ibra, l'enculé. »

James remet un bras de fauteuil dans les braises.

« Tu peux reprendre Ronaldo si tu veux, c'était à Hicham, lui propose l'Anglais. Il en est déjà à dix, je crois.

— Et Griezmann ? demande Karim.

— Griezmann ! Tu es fou, mon frère, il est juif. Ça va te porter malheur. »

James sort un bout de fromage et le partage en deux.

Il rentre de chez les yézidis, c'est là qu'il l'a pris. Des chiens. Des putains d'adorateurs du diable.

« C'est même écrit dans la Bible ! Ce sont des porcs, ils salissent la terre de Shâm. »

Il lui explique qu'ils croient en un dieu unique, créateur du monde, et à sept anges choisis pour le gouverner, « ou une connerie comme ça ».

Le plus important des anges est représenté par un paon.

« Tu te rends compte, les bâtards !

— Quoi ?

— Un paon, putain, le symbole de Satan ! C'est pour ça qu'il faut les éradiquer. D'ailleurs, tu connais un footballeur yézidi, toi ? »

Karim se ressert un café, assommé par tant d'ignorance.

« Tiens, regarde ! »

James lui tend son portable. Terrées au fond d'une cave, une dizaine d'adolescentes nues et apeurées fixent l'objectif en se couvrant les seins comme elles peuvent.

« Tu sais ce que le prophète a dit ?

— À propos de quoi ? Il a dit beaucoup de choses.

— De la guerre contre les mécréants.

— Non.

— Qu'après la victoire tout ce que tient ta main droite t'appartient. Alors, elles sont toutes à nous. »

L'Anglais lui montre d'autres photos. Toujours les mêmes regards paniqués, les mêmes seins d'adolescentes, serrés les uns contre les autres comme les raisins d'une grappe.

Karim a du mal à retenir ses coups.

« C'est quoi ?

— Le butin, lui dit James. On peut en faire ce qu'on veut. On les a gagnées, mon pote. »

Karim se souvient d'un article là-dessus dans la revue de Daech. Il soutenait que, contrairement aux juifs et aux chrétiens, les yézidis n'avaient aucun droit. Ni celui de payer un impôt pour rester vivre au pays de Shâm ni celui de se convertir. Ils n'avaient le choix qu'entre la mort ou l'esclavage.

Après leur capture, les femmes devaient être partagées entre les combattants. Un cinquième du butin allait à l'émir du groupe. Il pouvait les consommer sans modération bien sûr, enfermer les plus jeunes jusqu'à ce qu'elles soient correctement formées et, une fois satisfait, les laisser mourir ou les revendre.

De quoi attirer de nouvelles recrues.

L'article continuait en expliquant que, pour Daech, le retour de l'esclavage en terre de Shâm était un signe important, annonciateur de la Malhamah al Koubrâ, la grande bataille avant l'heure, celle de la victoire de l'islam sur le monde, commencée en Syrie justement.

En plus de ce caractère prémonitoire, l'auteur anonyme reconnaissait à l'esclavage une autre vertu importante.

Il y a des siècles, son abandon, disait l'article, avait mené à une dissolution des mœurs dans la société musulmane et à une recrudescence de l'adultère et de la fornication.

La présence de domestiques à la maison et la rencontre avec des femmes célibataires étaient autant de tentations sexuelles auxquelles il était difficile de résister pour les hommes. Dans l'esclavage, les relations entre maîtres et esclaves étaient par contre tout à fait légales et ne contrariaient ni les textes ni les épouses.

Karim se souvient, lui, d'un autre passage du Coran où le prophète dit au contraire des vaincus :

« Nourris-les comme tu te nourris, habille-les comme tu t'habilles, et ne leur assigne pas des tâches au-dessus de leurs forces. Ceux que tu aimes, garde-les ; ceux que tu n'aimes pas, vends-les. Si Dieu l'avait voulu, Il aurait pu faire qu'ils te possèdent. »

Mais l'Anglais avait dû sauter des pages.

« Tu vois celle de gauche ? »

C'est une toute jeune fille aux cheveux charbon et aux yeux bleus.

« Je vais la chercher demain, c'est la mienne. L'émir me prête une chambre pour la journée. C'est dommage qu'on n'ait plus le droit sinon je me serais bien fait sucer devant un match de foot. »

C'est vrai qu'en terre de Shâm allumer la télé est puni de la peine de mort.

Le lendemain matin, l'Anglais a disparu. Deux hommes viennent chercher Karim.

Le voyage n'est qu'une longue suite de ruines et de décombres. De temps en temps, comme une percée dans les nuages, le blanc d'un champ de coton ou le violet de fleurs de sésame éclairent de leurs couleurs le gris des gravats.

La Syrie retrouve alors son calme et sa torpeur d'avant la guerre. Courbées entre les allées, des familles sorties de nulle part chargent leurs ânes de cageots de pastèques et de sacs de jute pleins comme des obus. Des nourrissons, emmaillotés de la tête aux pieds, attendent, posés debout contre des maïs, que leurs mères leur donnent discrètement le sein entre deux rangs de pieds de tomates.

Des chiens maigres comme des chats s'usent la truffe à fouiller les bords de route pour rien, la guerre a depuis longtemps déjà fait le ménage.

Le camp d'entraînement est à vingt kilomètres des premières banlieues. C'est un passage obligé pour les nouvelles recrues. On y teste leur endurance et leur loyauté. Le Coran et la paranoïa sont les deux piliers de Daech.

La hijra est une obligation pour tous les musulmans, mais c'est aussi une porte grande ouverte à l'ennemi, et chaque étranger qui l'emprunte est soupçonné d'être guidé par le diable.

Le confort est sommaire, des tentes de l'armée disposées en carré et une citerne d'eau posée au milieu pour satisfaire une centaine d'hommes. Tout autour, des champs de pierres, et au loin des collines. Pas l'ombre d'une ombre, à part quelques oliviers torturés, plantés à l'époque où les amoureux pouvaient encore s'enlacer à leur pied sans risquer les coups de fouet.

Les règles sont strictes et affichées devant chaque tente. L'eau est d'abord réservée aux ablutions.

Le lever se fait à 5 heures pour la première prière, le coucher à 21 heures après la dernière, sauf marche de nuit, punition ou corvée de bois.

Vol : peine de mort.

Désertion : peine de mort.

Blasphème : peine de mort.

Désobéissance : fouet.

Dans le campement, on dirait l'Eurovision, ça parle dans toutes les langues. Il y a même un Coréen que les Belges ont baptisé « Abou Séoula Mecque » et qui les remercie d'une révérence de la tête chaque fois qu'ils se foutent de sa gueule.

Aucune tenue n'est exigée, c'est « Friday's wear » tous les jours, comme dans les start-up, un mélange de looks entre Call of Duty, *Les Douze Salopards* et un hall de tour en banlieue.

La mode est aux cheveux longs et sales retenus par un bandeau. Les cartouchières se portent ajustées au corps sur des marcels ou des tee-shirts sans manches, les kalachnikovs en bandoulière dans le dos, canon vers le bas, et les baskets, quand on les enlève, attachées par les lacets autour du cou avec l'odeur dans le nez.

Les Arabes sont les plus nombreux, un quart des effectifs, des Irakiens, des Saoudiens, beaucoup de Tunisiens et des Algériens bien sûr.

Les Espagnols, eux, sont regroupés avec les Portugais, qu'ils détestent, les Italiens avec les quelques Suisses arrivés jusqu'ici, et les Anglais dilués dans le reste du monde.

Les Français, considérés dangereux, sont traités à part, avec les mêmes précautions que pour des déchets nucléaires.

Leur instructeur est un Syrien francophone, un ancien pilote de chasse déserteur de l'armée de Bachar, formé chez Matra à Vélizy-Villacoublay.

En guise de bienvenue, ils ont droit à la litanie des reproches régulièrement faits à la France.

La colonisation, la guerre d'Algérie, l'interdiction du port du voile, la première guerre du Golfe, la deuxième, les frappes aériennes contre Daech, l'islamophobie des médias, la famille Le Pen, le lobby juif, les francs-maçons.

« Et le PSG ! » ajoute haut et fort un Marseillais à peine débarqué.

Deux coups de crosse lui cassent les reins, un autre lui ouvre la lèvre en deux et il est aussitôt traîné par les pieds jusqu'à sa tente.

L'ancien pilote passe en revue chaque visage, qu'il frôle du bout de ses lèvres.

« Vous savez pourquoi ça ne me fait pas rire ? » hurle l'instructeur.

Il a une haleine de chameau.

« Parce que les Français sont nos pires ennemis. Vous êtes sans doute de bons musulmans, mais peut-être aussi des traîtres. Alors, en attendant que je m'assure du contraire, pour moi, vous êtes tous dangereux et contaminants. »

Le gamin de Marseille est ramené dans les rangs.

« Ici, je ne veux plus de petites frappes, plus de tire-au-flanc, plus d'embrouilleurs, que des soldats au service d'Allah. Vous avez une semaine pour tout changer ! »

Ça fait sourire Karim. Il a l'impression d'être chez

Valérie Damidot. Sept jours pour faire du neuf avec du vieux, vite fait, mal fait, du cache-misère, « D & Co » version Daech et compagnie.

Il se trompe. C'est plutôt un mélange entre « Koh Lanta » et « Man Versus Wild », un long travail de démolition, pour tout mettre par terre, tout briser et reconstruire à leur goût et à leur manière.

Dès le lendemain, on les travaille à la masse pour mettre à nu tout ce qui les structure. Chaque coup les ébranle. On affaiblit leurs corps pour atteindre leurs esprits. Ils n'ont plus de pieds à force de courir, plus de dos à force de porter, plus de volonté à force de dormir debout. Les premiers caïds fissurent, craquèlent, se désossent, se délitent. On les laisse s'endormir juste pour les réveiller, cuisiner sans les laisser manger, sécher juste pour les remouiller, allumer des feux pour les éteindre, creuser des trous pour les reboucher et, dès qu'ils reprennent un gramme d'espoir, on les déshydrate en les oubliant sous le soleil pour les soumettre encore.

Au bout de six jours, tout le monde est à nu, vulnérable, à vif, fragile, pareil aux serpents pendant la mue. Alors commencent les coups. Les bourreaux rendent à leurs victimes ceux qu'ils ont reçus quand ils sont arrivés. C'est leur seule façon de cicatriser. À ceux qui saignent aujourd'hui de survivre pour guérir demain à l'arrivée des prochains.

Au septième jour, plus un homme n'est debout, aucune volonté n'a résisté, on leur a trépané la mémoire, les instructeurs n'ont plus qu'à y plonger les doigts pour la reprogrammer.

La plupart veulent mourir, tout abandonner. Karim

aussi. Alors, brusquement, comme pour un fruit mûr, on redouble de délicatesse avec lui.

Ceux qui l'ont poussé à bout lui tendent du miel et du lait, calment ses sanglots, le rassurent, répètent qu'ils sont là, que c'est fini, qu'ils sont frères, que désormais ils peuvent compter les uns sur les autres, à la vie à la mort. Alors, ils lui mouillent les lèvres, pour qu'il puisse lire, et ensemble ils ouvrent le Coran.

L'entraînement militaire a lieu à quelques kilomètres des tentes, dans le campus d'une université privée, comme il en fleurissait partout au bord des routes avant la guerre.

Une volonté de Bachar al-Assad de moderniser le système éducatif de son pays et d'arrêter l'exil des Syriens vers l'étranger.

Des établissements flambant neufs aux acronymes à la UCLA, financés par de riches hommes d'affaires d'Irak ou du Golfe et des investisseurs locaux issus des familles proches du pouvoir.

Des étudiantes en jupe y croisaient celles à l'ombre de leur voile, on s'embrassait discrètement entre garçons et filles aux tables des cafétérias en écoutant David Guetta, et chrétiens et musulmans s'y côtoyaient pour échanger les cours, sans haine et sans reproche.

De part et d'autre de l'entrée principale, d'immenses photos dégringolaient des murs pour vanter ce bonheur à l'occidentale où de jeunes femmes, belles et libres, une pile de livres dans les bras, conversaient avec de jeunes hommes bien mis, le sourire aux lèvres et le portable à la main. On y étudiait l'ingénierie, les sciences médicales, la gestion, les communications, les langues, la pharmacie.

Un monde que la plupart des Syriens ne faisaient qu'entr'apercevoir de la route, entassés dans des mini-bus bondés, ne survivant que grâce aux subsides d'un État de moins en moins riche et qui, petit à petit, les abandonnait au profit d'une autre Syrie, toujours plus fortunée, toujours plus méprisante, rendue sourde à leurs appels par le brouhaha des inaugurations et des cocktails.

Sans compter la Syrie des prisons, pleines à craquer, où le sang coulait à flots, comme le champagne dans les palais, des geôles pleines de coupables mais surtout d'innocents, torturés pour un mot de trop sur le régime ou même pas, un monde de murs sans fenêtres, sale, désespérant, hors du droit et du monde, perdu dans le désert, oublié au cœur des casernes ou des quartiers, sans que jamais personne ne sache exactement où, un trou sans fond dans lequel chaque année disparaissaient des milliers de fils, de pères, de frères, un enfer où n'importe qui pouvait brûler sans raison, mais réservé d'abord à ceux qui par malheur se trouvaient en travers du chemin des Assad, des amis des Assad, des amis des amis des Assad, les amoureux éconduits, les artisans réclamant trop fort leur dû, les voisins trop bruyants et surtout tous ceux qui de près ou de loin pouvaient ressembler à des musulmans trop fervents, islamistes ou pas, que les bourreaux de Bachar faisaient hurler des mois avant de les découper en morceaux et de les donner aux chiens, sans que le reste du monde, obnubilé depuis le 11-Septembre par tout ce qui porte une barbe, ne s'en émeuve vraiment.

Alors, comme un tsunami, la guerre a tout emporté. Désormais, les affiches du faux bonheur d'hier, dégoulinant des murs criblés d'impacts, servent de cible aux faux espoirs d'aujourd'hui.

Karim arme et tire. La balle atteint l'étudiante à l'œil. L'exercice consiste à toucher la mécréante et à éviter la jeune fille voilée. Il est à vingt mètres de l'immense photo.

« C'est bien, mon frère », le félicite l'instructeur.

L'heure n'est plus aux brimades mais à la fraternité. Le dressage a fonctionné. Même le Marseillais marche au pas.

Un instant, l'odeur de la poudre le ramène au Zébu Blanc. Il a envie de retrouver son studio de la rue Amelot et son canapé blanc. Il est trop loin de ce qu'il aime, trop près de tout ce qu'il déteste, la violence, la haine, les dogmes, cette petitesse d'esprit qui refuse l'expérience de l'autre et qui condamne ceux qui la revendiquent à s'assécher comme une rivière qui rejetterait ses affluents.

Pourquoi a-t-il fallu que ça lui arrive ? Il devrait être loin d'ici en train de préparer ses valises pour La Teste, ou déjà attablé à la terrasse du Bar du marché, avec les deux Nathalie, Julie, les deux Philippe, Hervé, Gérald, Hugo, Alexandrine, Aurélie et les autres, devant des huîtres et un verre de vin blanc, un Chablis sans doute, à refaire le petit monde du bassin, avant d'aller bronzer au banc d'Arguin.

Ou à la 12 Zen à regarder passer les bateaux devant un pâté au piment d'Espelette.

La rafale le ramène à Alep. Tous les chargeurs se sont vidés et pas une fois le voile n'a été touché.

« OK, hurle l'instructeur, maintenant toi, toi, toi et toi, vous rampez jusqu'au hall. Les autres, vous rechargez. »

Karim fait partie des rampants.

Les combats pour la prise de l'université ont laissé des traces de sang sur le sol. Les rêves de diplômes se sont évanouis. Combien de la future élite de Syrie est morte sur ces marches, combien est partie se perdre dans les camps de réfugiés, combien a troqué l'ordinateur pour les armes ?

Régulièrement, une rafale lui frôle la tête ou les jambes. Ceux qui lui tirent dessus viennent tout juste d'apprendre.

Un éclat de marbre lui ouvre la joue.

« Ça renforce la confiance entre vous. Ceux qui tuent ou blessent un frère seront tués ou blessés », prévient l'instructeur.

Tout le monde arrive vivant dans le hall. Le Marseillais se fait taillader la joue au couteau pour avoir éraflé la sienne.

Ça fonctionne, les mustangs sont devenus des moutons. Ils se serrent dans les bras et remercient Allah d'être vivants.

Un groupe d'hommes les attend dans une salle de classe. Karim n'aime ni leur attitude ni leur regard. L'un d'eux est armé d'un Nikon D7100. Les deux autres, assis, les pieds sur la table, les regardent entrer un par un en se murmurant des commentaires à l'oreille.

Ils ont l'air nerveux et pressés.

Sur les pupitres, des livres de chimie sont restés ouverts au chapitre « Séparations, purifications et contrôle de pureté ».

Ça pourrait être un cours sur le pays de Shâm, se dit Karim.

L'un des hommes aux pieds sur la table les désigne, lui, le Marseillais et un Niçois converti.

L'instructeur sort de sa poche un sac en plastique et lui tend son passeport.

Karim se fait violence pour retenir ses larmes et ne pas y déposer un baiser. Jamais il ne l'a regardé comme ça. Ses doigts caressent la marque d'une tasse à café sur la couverture bordeaux. Il entend Charlotte le sermonner d'en prendre si peu soin et lui se moquer d'elle, lui reprocher à l'inverse d'être si respectueuse des symboles, surtout de celui-là, trente-deux pages sans importance, sauf pour les douaniers, trouées d'un numéro impossible à retenir, et qu'il suffit de déclarer perdu pour qu'on vous en délivre un autre, avec la même photo à faire peur, interdite de sourire et de lunettes.

C'est pourtant tellement de choses d'importance en si peu d'espace qu'on lui rend un instant. Il suffit d'en être privé pour que brusquement, comme un plongeur en manque d'air, elles refassent surface : Rimbaud, Maître Gims, la côte d'Opale, les crissements du métro, les Petits Lu aux oreilles en coin, les apéros du mois d'août, la lumière de la Bretagne, la tarte Tatin, Grand Corps Malade, les plages des Landes, le petit crème du matin, le bruit de l'œuf dur sur le comptoir, les Enfoirés, la liberté, l'égalité, la fraternité, les jamais contents, les toujours plus forts, les grandes gueules, les grèves sans fin, le film du dimanche soir, Johnny, les dames pipi et tout ce qu'il oublie mais qui nous rassemble tellement nous brillons tous des mêmes mille et un petits reflets.

Karim se demande un instant s'ils ne vont pas d'eux-mêmes mettre fin à sa folie et le renvoyer en Turquie.

Il l'espère, mais le redoute aussi. Il a peur de l'accueil qu'on lui réserverait en France, mais plus peur encore d'affronter l'immense vide d'un monde sans Charlotte. Là-bas, il le sait, son souvenir se cache derrière chaque mot, chaque lumière, chaque rue, chaque livre. L'homme au Nikon tripote nerveusement son appareil. L'instructeur installe une table à trois mètres du grand tableau blanc, pose une poubelle dessus et leur demande un briquet.

« Vous allez brûler vos passeports et on va tourner une vidéo pour que tout le monde sache que vous êtes là. »

Karim est effondré. Il pense à ses parents. Il revoit la mère d'Aurélien, anéantie, brisée. Il ne peut pas leur faire ça, ça les tuerait. On les installe devant la table. Derrière eux, en rang d'oignons, kalachnikov sur la poitrine, le reste du groupe sert de décorum.

« Voilà ce qu'il faut dire. »

L'instructeur égrène chaque mot en les inscrivant sur le tableau pour qu'ils puissent les lire.

« Ces passeports que vous nous avez obligés à porter comme des fers, nous les détruisons devant vous. »

Les deux hommes aux pieds sur la table se lèvent.

« Dans ces flammes brûlent toutes ces valeurs du mal que vous avez essayé de nous inoculer. »

Le plus grand lui enfonce son chapeau afghan sur la tête.

« Abandonnez votre haine de l'islam et des musulmans. Reconnaissez la puissance d'Allah, rejoignez-nous et nous vous accueillerons. »

Celui au Nikon transpire à grosses gouttes, toujours le nez dans les menus de l'appareil.

« Mais combattez-nous et vous mourrez par milliers, vous, vos femmes et vos enfants. »

Karim cherche désespérément une sortie.

« Allez, on y va », s'impatiente l'instructeur.

Tout le monde attend. Le cameraman demande encore quelques secondes. Ses doigts tremblent.

Les autres s'énervent.

« Qu'est-ce que tu fous ? »

Il bredouille, il a un problème technique, ça ne marche pas.

Les balles montent dans les culasses.

« Tu veux faire foirer l'appel au djihad ou quoi ? »

Il tremble encore plus

« T'es un putain d'espion, c'est ça ? »

Karim sent monter la parano.

Les hommes écument. Ils font mettre le cameraman à genoux.

« Dis-nous qui tu es exactement ? »

Brusquement, Karim sort du rang et tente sa chance.

« Je sais m'en servir si vous voulez. Je peux la tourner, cette vidéo. »

L'instructeur le regarde, méfiant.

« Tu es sûr ?

— Oui, c'est mon métier. Je peux la monter aussi. »

L'instructeur traduit aux deux autres. Le plus vieux hésite et acquiesce de la tête. Il fouille sa pochette en plastique et sort un autre passeport. Un jeune Strasbourgeois prend la place de Karim derrière la table.

Le coup claque et surprend tout le monde.

« Traître », jure l'un des deux hommes.

Le photographe n'a plus de tête. Karim lui prend l'appareil des mains et fouille dans le menu.

« Vous pouvez m'apporter un chiffon ? » demande-t-il.

Il essuie quelques gouttes de sang sur l'objectif et essaye de ne pas trembler.

« C'est bon, dit-il, on peut y aller. »

Tout le monde est rassuré.

Il vient de faire un autre pas vers Abou Ziad.

9

Ils l'enfournent dans un 4 × 4 les yeux bandés. À l'odeur du cuir, il sent qu'il appartient à quelqu'un d'important.

La radio crache un flow de Macklemore, pas la soupe islamiste habituelle.

L'homme à sa droite pue le tabac, autre signe qu'il n'a pas à faire à des combattants ordinaires.

À sa gauche, il devine que quelqu'un regarde une vidéo sur un portable, sans doute un iPhone 6, au son métallique du haut-parleur. C'est la sienne.

Karim reconnaît la voix du Marseillais. « Abandonnez votre haine de l'islam et des musulmans. Reconnaissez la puissance d'Allah, rejoignez-nous et nous vous accueillerons. » La petite nappe de son à la « Homeland » qu'il a bricolée la veille sur une version antédiluvienne de Garageband fait son effet.

Le mixage est parfait. Il compte dans sa tête et attend l'explosion. Trois... deux... un... Fin de la nappe et boum ! Elle arrive, superbe, plus ronde que celle d'Hiroshima avec une belle couleur jaune chrome à la Turner et un dégradé vertigineux.

Il a trouvé les images sur un site de propagande

irakien. Ce sont celles d'un attentat à Bagdad filmé en HD, une chance.

La boule de feu est parfaite.

Il n'a pas besoin qu'on lui enlève le bandeau, il connaît le clip par cœur, le type visionne la version finale, celle balancée sur le réseau. Une minute cinquante exactement, générique inclus.

Flou net sur sa doublure, c'est au tour du type de Strasbourg d'y aller, il est bien meilleur que lui. C'est sa deuxième prise la plus agressive.

« Mais combattez-nous et vous mourrez par milliers, vous, vos femmes et vos enfants. »

Maintenant, il aimerait que le type arrête de visionner. Chacun des plans qui suivent lui a fait saigner le cœur au montage. Mais il avait dû frapper fort pour sauver sa tête. Et puis, dans sa vie de monteur, il avait joué avec tellement d'images de malheur, alors pourquoi pas avec les siennes. Au moins, celles-ci, savait-il où les trouver.

Celle des sirènes d'abord, ensuite le plan qui bouge entre les tables, puis la jupe boules de glace en lambeaux, la terrasse dévastée et enfin les douilles entre les pieds arrachés. Il les a enchaînées, brutes, sans son, comme celle de Kennedy à Dallas, légèrement ralenties, juste assez pour laisser le temps à la douleur de pénétrer, d'imbiber les cerveaux, d'y implanter un réflexe de peur.

Ça sert à ça, la propagande, à rallier ou à terroriser. Chaque plan doit être un lancer de couteau. Karim sait faire ça les yeux fermés, aussi bien qu'eux savent monter et démonter leurs kalachnikovs. Les images, c'est son arme à lui. Alors, logiquement, il s'est servi du tranchant des siennes pour se défendre.

Il espère avoir réussi.

Pas sûr, se dit-il brusquement, sinon pourquoi le trimballerait-on coincé à l'arrière d'une voiture, les yeux bandés entre deux brutes ?

Fin du silence de la séquence au ralenti. Nouvelle nappe de son, puis fondu au noir et réouverture sur un plan de drone au-dessus de l'esplanade du Trocadéro, raccord au sol sur l'hommage de la France en deuil, réunie autour du président.

Le son de « La Marseillaise » monte lentement, et c'est là qu'il lance ses couteaux.

Il a remplacé les vraies paroles par celles du chant de Daech qui accompagnait la revendication de l'attentat du Zébu Blanc.

Allons enfants de la patrie
Tuez les apostats égarés
Le jour de gloire est arrivé
La guerre au diable est déclarée
Contre nous de la tyrannie
Plus de polémique ni de philosophie
L'étendard sanglant est levé
Soit tu tues, sois tu es tué

Il a monté les images à l'instinct, une bonne partie de la nuit, sur du matériel de merde, avec la rage de celui qui joue sa vie à chaque effet.

Le résultat est parfait. On dirait que tout le gouvernement a rallié l'État islamique.

« Putain, ça déchire mon pote. Tu as assuré. Il y a déjà cent trente mille vues depuis ce matin. »

L'homme qui pue le tabac le félicite dans un anglais très écorché.

A priori, il a sauvé sa tête. Mais le bandeau continue de l'inquiéter. En général, il est réservé aux enlèvements ou aux exécutions.

Personne ne lui dit plus rien. Mais pourquoi voudraient-ils exécuter Spielberg ? Parce qu'il est juif bien sûr. Pas obligatoirement, se convainc-t-il aussitôt, Hitler a bien confié sa propagande à Leni Riefenstahl. À voir.

Le 4 × 4 quitte la route principale, cahote sur un chemin de terre et s'arrête.

Ils le traînent dehors et le guident de la voix.

« Avance, tout droit, attention, ça descend. »

Quelqu'un frappe à une porte. On leur ouvre. Ils l'emmènent dans une petite pièce. Ça sent l'humidité. Des mains lui rendent la vue.

C'est une sorte de cellier, sans fenêtre, aux murs noirs de suie. Un ancien séchoir peut-être, à la campagne sans doute, contre le mur sont posés un râteau et une faux.

« Tu as faim ? »

Sur une table, on a disposé des tomates, de l'huile, de l'eau, du sel et du pain. Il n'a pas le cœur à ça.

« Vide tes poches. »

Il fouille et en sort de la monnaie et un couteau.

Un type en maillot de l'équipe de France, avec sur le cœur le coq et l'étoile de champion du monde, lui apporte un tabouret.

« Attends ici, lui dit-il en français, on viendra te chercher et profites-en pour réfléchir, les hommes que tu vas voir ont des questions à te poser. »

L'attente est interminable, le temps s'égrène lentement, comme dans un sablier qui aurait pris l'humidité.

La mort du cameraman, l'image de son crâne explosé,

ne le quitte pas. Il a l'impression qu'il est là dans la pièce.

Le coq revient, lui remet son bandeau, le lève, ouvre sa chemise, le fouille et, sans lui laisser le temps de se rhabiller, le pousse dans un couloir étroit.

« Baisse la tête », lui ordonne-t-il en arrivant au bout.

Il s'incline.

« Encore. »

On le fait passer par une porte basse. Il est obligé de se casser en deux.

De l'autre côté, des hommes l'attendent. Cinq, six peut-être, s'il se fie aux mouvements et aux respirations. Le son est étouffé, la pièce doit être en sous-sol.

« Tu sais ce que c'est ? »

L'accent est allemand. Il sent la pointe d'un sabre sur sa gorge.

« Oui », dit-il sans baisser la voix.

Après tout, il les emmerde. S'ils veulent lui trancher la gorge, qu'ils le fassent.

« C'est le symbole de ce qui t'arrivera si tu nous trahis », dit l'Allemand.

Il s'est toujours étonné de voir les victimes si calmes. Il comprend maintenant. Ç'a quelque chose du domaine de l'irréel.

« Tu sais où on est ?

— Non.

— À Hollywood. »

Il réfléchit vite. Le clip, son succès, le bandeau, la fouille, l'endroit tenu secret, brusquement, il croise tous les indices et comprend.

« Au média center ? tente-t-il.

— Gagné. »

C'est le cœur du réacteur, l'usine à propagande, il est exactement là où il rêvait d'être, chez ceux qui mettent la guerre en scène.

Il revoit les images de la décapitation de James Foley, l'otage américain agenouillé en combinaison orange dans le désert, un remake subtil de la scène de fin de *Seven*, quand Brad Pitt menace Kevin Spacey à genoux dans le désert. Mêmes gestes, même lumière, même combinaison orange.

« Et ça t'intéresse de travailler pour Hollywood ? »

Il fait oui de la tête.

« Sinon tu retournes d'où tu viens et tu oublies tout ce qui vient de t'arriver. »

Il fait non.

« Alors, que la lumière te soit donnée. »

On lui enlève son bandeau. Ils sont cinq et pointent tous leur kalachnikov sur lui.

L'Allemand est un colosse aux cheveux roux et en treillis.

C'est une crypte d'église. Les voûtes sont portées par deux énormes piliers. Il y a des ordinateurs et des écrans partout. Sur un immense Samsung plat est arrêtée l'image d'un corps recouvert d'un drap maculé de rouge.

« Tu es d'accord pour verser jusqu'à ta dernière goutte de sang en défendant tes frères, comme lui ? »

Il acquiesce encore.

« Alors ces armes que tu vois te défendront si tu respectes la loi d'Allah, mais elles te poursuivront si tu la trahis. »

L'Allemand range son sabre, lui libère la gorge et éclate de rire.

« Je déconne, mon frère, on est cool ici, on ne s'emmerde pas avec tout ça. »

L'ambiance change brusquement, il passe de la banquise au Brésil.

« J'ai adoré ta "Marseillaise", je veux la même avec Merkel. »

Tout le monde s'est remis au travail.

Ça digitalise, ça monte, ça mixe, ça recopie, on se croirait dans une régie finale de Roland-Garros.

« Viens, lui propose l'Allemand, je vais te montrer la maison mère. »

La maison mère est un petit immeuble moderne à quelques kilomètres de la crypte. Rien sur la façade qui trahisse le lieu. Deux étages et quatre pièces par étage, même agitation que dans la crypte. Les couloirs débordent de matériel.

Tout arrive de Turquie. Karim n'aperçoit que du bon. Écrans plats, table de mixage, ordis portables, caméra Canon, micros HF, rails de travelling, drones.

« C'est mieux qu'à Berlin », sourit le roux.

Il lui fait signe.

« Viens, on monte sur la terrasse. »

C'est un petit escalier discret.

« Au fait, dit-il avant d'ouvrir la porte qui donne sur le toit, je m'appelle Arkan, avant, j'étais rappeur. »

Sa main lui écrase les doigts.

« Moi, c'est Karim.

— Je sais, tu remplaces l'autre connard. Il était mauvais de toute façon. »

Trois fauteuils défoncés entourent une caisse de munitions.

Il referme à clef derrière lui, s'approche dangereusement du bord, descelle une pierre et en sort un joint.

« C'est entre toi et moi, d'accord ? lui fait-il promettre. Ça vient de Turquie aussi, c'est comme le matos, le meilleur. »

Il l'allume.

« On est quelques-uns à prendre un peu de libertés avec les règles ici, mais c'est pour ça qu'on est bons. »

Il s'affale en face de Karim et brûle presque tout le pétard d'une taffe.

Au loin, un hélicoptère survole la ville.

« C'est l'heure du livreur. »

Il lui passe ses jumelles.

Du ventre de l'engin s'éjecte un petit point noir.

« C'est une bombe baril. »

Karim essaye de suivre sa chute.

« Celle-ci, c'est pour la gueule de l'Armée syrienne libre. Ils ne nous feront pas chier ce soir. »

L'hélicoptère attend l'impact en tournant au-dessus de la zone.

« Ça marche comment ? demande-t-il.

— C'est juste un long tube de carton bourré de TNT et de bouts de ferraille. Un soldat allume la mèche avec son mégot et balance le bordel par-dessus bord. C'est rustique mais efficace. Malheureusement, on n'a pas d'hélicoptère et on n'a plus droit aux mégots. »

Le point noir s'écrase au sol, une seconde après, une énorme colonne de fumée monte au-dessus des toits, couronnée par une boule de volutes noires.

« T'as vu, on dirait une bite. »

Il a raison. Une bite dressée au-dessus du petit peuple d'Alep comme un totem de son impuissance.

« Tu sais pourquoi ?

— Non.

— Parce que c'est avec ça que Bachar nous encule dix fois par jour. »

Sa voix s'est presque cassée.

« Et tout le monde nous laisse crever. On ne retient de cette guerre que nos coups de sabre parce que nous les mettons en scène. Mais tu sais combien de Syriens Bachar a déjà mis hors jeux ? Deux cent cinquante mille ! »

Le gros rappeur a presque les larmes aux yeux.

« J'ai pris deux fois ces saloperies sur la gueule. Tu sais ce que c'est qu'un haraï au judo ? »

Karim a pratiqué un peu les tatamis.

« Une balayette ?

— Eh bien, ça fait la même chose, le souffle de l'explosion balaie les immeubles au pied et ils basculent comme un neuvième dan en face de Teddy Riner, d'un coup, et tout ce qui tombe des étages est haché par les morceaux de métal, les femmes, les vieux, les enfants. C'est pas aussi dégueulasse que l'exécution d'un otage américain, ça ? »

Il tire une taffe.

« Ils bourrent les bombes avec les restes de tout ce qu'on leur envoie pour que ça leur coûte moins cher. »

Arkan se brûle les doigts.

« Merde », dit-il.

Il a fumé tout seul.

« Désolé. »

Le soleil se couche. Le muezzin appelle à la prière. Deux grosses bites se dressent au nord de la ville. Karim se lève et cherche La Mecque.

« Laisse tomber », lui dit Arkan.

Ils restent un moment tranquilles.

Le roux lui raconte son école de cinéma à Berlin, les petits boulots en espérant son premier film, l'équivalent d'une Victoire de la musique pour un clip de rap avec un groupe allemand, l'attente des coups de fil après le succès, les promesses et puis rien, jusqu'au jour où il tombe par hasard sur l'exécution d'un pilote jordanien brûlé vif dans une cage, un truc grandiose à cinq caméras, avec des effets spéciaux et un montage à la Scorsese, alors il se rappelle brusquement que sa mère est allemande mais que son père est algérien, qu'il est donc un peu musulman et que ça lui donne le droit de venir faire son cinéma ici, et il débarque.

« Tu vas voir. Tu as tout ce que tu demandes pour travailler. Des villages à brûler, des morts autant que tu en veux, des armes, des chars, des combattants, des figurants. Tu peux les pendre, les égorger, tout le monde s'en branle, à partir du moment où ce sont des mécréants, tout ce que tient ta main droite t'appartient. »

Il déplie son grand corps du fauteuil et rapproche sa tête rousse de celle de Karim.

« Je prépare une putain de production. C'est pour bientôt. Je t'embarque avec moi. J'ai besoin d'un monteur comme toi. Il y aura huit caméras et deux drones à gérer. Tu vas voir, je vais lui foutre la honte à l'autre enculé de fils de pute d'Américain avec son *Flames of War*. Tu l'as vu ? »

Bien sûr qu'il a vu *Flames of War* ! C'est même le premier film sur lequel il est tombé après la mort de Charlotte, celui qui lui a donné l'idée de venir ici.

Une superproduction à la gloire du pays de Shâm, un

monde merveilleux où les guerriers d'Allah glorifiés par les images de leurs combats, décomposés à coups de ralentis et d'effets spéciaux, rentrent victorieux du front, les bras chargés de cadeaux pour les enfants du califat, pendant que les soldats vaincus de Bachar creusent leurs propres tombes avant de s'y faire enterrer vivants.

Le blockbuster de Daech, plus de 5 millions de vues au compteur, l'œuvre de cet « enculé de fils de pute », comme l'appelle aimablement Arkan, un mystérieux djihadiste américain.

On le dit tantôt ancien génie de la Silicon Valley, milliardaire et converti, tantôt fils d'un célèbre réalisateur d'Hollywood sevré de la coke et de l'alcool grâce à l'islam, ou encore ancien élève de l'école de cinéma de l'université de New York.

Tous les drones de l'armée américaine sont programmés pour le chercher, des forces spéciales ont même été envoyées au sol avec mission de le ramener, mais les indices sont maigres : la trentaine, la peau blanche et le cheveu poivre et sel. C'est tout. Le communicant ne communique pas. Rares sont ceux qui l'ont croisé.

L'homme règne, dit-on, sur une armée de huit cents cameramen regroupés au sein de la « division médiatique » de Raqqa, la capitale libérée du califat.

Il les forme, au tournage, au montage, à l'écriture, à poser la voix sur les images, au mixage. Une vraie Djihad Academy.

Chacun de ces petits soldats de la propagande est logé, nourri et dispensé de toutes les taxes dues normalement à l'administration de l'État islamique. Les candidats retenus reçoivent un smartphone Samsung, un Canon 5D et une Toyota Hilux pour ses tournages.

Le système est militaire. Chaque jour, les ordres de mission tombent, écrits de la main d'un haut responsable.

Avant de partir, les cameramen doivent passer prendre leur matériel et le rendre obligatoirement à leur retour. Aucun tournage en dehors de ceux commandés n'est autorisé, sous peine de mort.

Parfois on leur adjoint un réalisateur ou un preneur de son. Aucun contact ne doit exister entre ceux qui filment et ceux qui montent, ni entre ceux qui montent et ceux qui valident ou diffusent.

Les images du terrain sont téléchargées de la caméra à un ordinateur, puis d'un ordinateur sur une clef USB et envoyées directement à l'unité de montage. Chaque film est visionné, critiqué, monté, remonté et revisionné après mixage.

Al-Qaïda mettait en valeur son chef, Daech glorifie ses guerriers et la vie dans le califat.

Il y a les « petites mains », ceux qui mettent en scène le bonheur en terre de Shâm, en filmant les marchés, la sortie des mosquées et les baignades en famille et en niqab, et les autres, les seigneurs, ceux qui montent au front et souvent y meurent.

Ceux qui rouvrent les yeux des morts, nettoient le sang séché sur leurs visages, les remettent sur le dos, le doigt tendu en signe de ralliement à Daech et l'arme à la main pour magnifier leur sacrifice devant les caméras.

Les salaires sont en conséquence : 700 dollars par mois pour les premiers, de 3 000 à 6 000 pour les seconds. Mais le retour sur investissement en vaut la peine, chaque vidéo réussie ouvre les cœurs et les comptes de généreux donateurs du Golfe.

Comme ceux de Zlatan, les exploits des djihadistes n'ont

pas de prix. Alors, tous les jours, avec la même passion que dans une vraie rédaction, on cherche la bonne idée.

Al-Qaïda vivait à l'âge des cavernes dans les grottes de Tora Bora, Daech vit à celui du buzz et des réseaux.

Son cheval de Troie, c'est l'inculture, tous ces cerveaux d'adolescents rendus disponibles à force de les remplir de vide, à force de les abrutir d'hanounaneries, d'« Anges » et de « Chti's ».

L'organisation a mis la main sur les codes inventés pour anesthésier une partie de la jeunesse et les détourne en lui faisant prendre des allers sans retour vers Raqqa ou Kobané.

Chaque film de la division médiatique est un formidable teaser pour tous les recalés de la vie.

> Tu habites une cité pourrie, un village perdu, tu es déscolarisé, en rupture familiale, diplômé au chômage ou en mal d'aventure.
>
> Ton avenir, c'est de livrer des pizzas, tu n'intéresses pas les casteurs des émissions qui t'abrutissent, mais toi aussi tu veux passer à la télé.
>
> Alors rejoins Daech, égorge un otage ou un soldat et offre-toi ton quart d'heure de gloire, filmé en 5D.
>
> Et si tu n'es pas musulman, ce n'est pas grave, convertis-toi sur Skype et profites-en pour te marier.

À l'instar de la téléréalité, les coulisses sont interdites aux journalistes, il faut se contenter des images de la production.

L'aventure commence toujours comme dans « Pékin Express », à chaque candidat de se débrouiller seul pour quitter la France et rejoindre la Syrie, en évitant les pièges et les contrôles.

Ceux qui réussissent à franchir la frontière sont aussitôt placés sous surveillance et manipulés vingt-quatre heures sur vingt-quatre comme les candidats du « Loft ».

Seuls les meilleurs gagnent le droit de continuer et d'aller jouer pour de vrai à Call of Duty dans les rues d'Alep. Ils pourront alors poster fièrement les photos de leurs exactions sur Facebook comme les Chti's postent celles de leurs beuveries.

Mais quelques-uns seulement ont droit aux honneurs du 20-Heures, le couteau à la main, prêts à égorger une brochette de soldats en plein désert, avec dix caméras pour décomposer chacun de leurs gestes, comme dans « Top Chef », afin de savoir qui maîtrise le mieux l'art de la découpe.

À Raqqa, « l'enculé de fils de pute d'Américain » cherche sans doute déjà son prochain plagiat. Il paraît qu'une version djihad d'« Incroyable Talent » est à l'étude : trois otages, trois nationalités, trois épreuves et les internautes pour les départager.

Pour sauver Peter Kassing, tapez 1.

Pour sauver Alan Henning, tapez 2.

Pour sauver James Foley, tapez 3.

La force des barbares est d'utiliser les faiblesses de ceux qu'ils combattent. Il a suffi à Daech d'ouvrir *Télé Z* pour découvrir les nôtres.

À force de ramollir les cerveaux de nos enfants, nous les avons rendus mortellement perméables à la connerie.

On frappe. Arkan va ouvrir. C'est Alex, un Belge de Molenbeek. Il connaît l'hôtel Meininger. Il y buvait des bières dans sa vie d'avant et se souvient de la réceptionniste, lui aussi.

Il va directement à la planque et allume un joint.

« Ça livre encore vers la citadelle », dit-il en pointant du doigt.

Au loin, une colonne de fumée annonce aux officiers de Bachar que le colis est bien arrivé.

La fête pour les uns, le deuil pour les autres.

« C'est toi, "La Marseillaise" ?

— Oui.

— Génial. Tu faisais quoi à Paris ?

— J'étais monteur pigiste pour la télé. »

Alex lui passe le joint.

Karim fait semblant d'aspirer, le truc est fort.

« Et toi, tu bossais où ?

— Nulle part, en Belgique, c'est comme en France. On a plus de talent qu'eux mais ils ne le savent pas parce qu'ils ne regardent pas nos CV. »

Arkan lui arrache le joint.

« Ici, Alex, c'est le roi du drone. Il te rentre l'engin dans le cul sans que tu t'en aperçoives. L'autre jour, ça mitraillait de partout, l'enculé t'a fait un plan-séquence de plus de cinq minutes, rien à jeter, il est même passé de l'autre côté pour compter les morts. Un fou, je te dis. Grâce à lui, à chaque film, on fait venir plus de monde qu'ils ne pourront jamais en arrêter à la frontière. »

Il regarde la fumée du joint monter au-dessus de sa tête.

« Tu vas voir, ça va te changer de tes montages de merde pour "Zone interdite". »

Le Belge tire une grosse bouffée.

« Tu te souviens de John Cantlie, l'otage anglais qui réalisait des reportages pour nous en direct du front ? »

Karim les avait tous vus. Le journaliste britannique, très professionnel, marchait dans les ruines encore fumantes des villages conquis par Daech en faisant la propagande de ses bourreaux. Encore une idée géniale de cet « enculé de fils de pute d'Américain » sans doute.

Personne n'avait jamais su si l'Anglais s'était converti ou si chaque fois on lui faisait la promesse de remettre sa décapitation à plus tard.

« C'est moi qui ai fait toutes les images aériennes de ses plateaux avec mon drone, mieux que la BBC ! Ç'a fait venir des dizaines de frères ici. C'est presque trop facile. On leur raconte tellement de conneries à la télévision qu'ils ne croient plus qu'en Internet. »

Karim sait de quoi parle Alex. Pendant toutes ces années, de son poste d'observation privilégié, à l'abri des regards, dans sa salle de montage, il a vu lentement les choses se dégrader, assisté à tous les compromis, toutes les lâchetés, tous les non-dits.

Les journalistes devaient toujours faire plus court, plus rythmé, plus concernant, plus première partie de soirée, toujours penser à l'audience, à sa courbe, à la « responsable des achats » l'ex trop vulgaire « ménagère de moins de cinquante ans », mètre étalon de toutes les directions des programmes.

Il en avait vu des reporters baisser leur pantalon pour lui plaire, contraints et forcés par des responsables de grands magazines d'information, toujours prompts à justifier le sacrifice du fond au formatage et à la forme.

« C'est bien, mais c'est trop prise de tête, ça fait chier tout le monde, tes références, on va perdre les moins de vingt-cinq ans sinon, fais plus simple sur les chiites et les sunnites, laisse tomber les yézidis, on ne va pas remonter au Moyen Âge. »

Lui-même d'ailleurs se reprochait de ne pas avoir assez souvent bataillé pour sauver un silence ou une image par peur qu'on ne fasse plus appel à lui, d'avoir accepté toutes sortes de petites traîtrises dans le dos des journalistes.

La faute aux écoles de commerce et aux fringants trentenaires en costumes The Kooples, tous issus des études ou du marketing, qui, sans complexe, avaient remplacé les journalistes aux postes clefs.

La faute à la marchandisation du droit d'émettre et à toutes ces chaînes qu'on avait laissées se multiplier pour les intérêts de quelques-uns, sans qu'elles aient ni de véritable projet ni de véritable budget, et qui toutes avaient irréversiblement tiré la production et la profession vers le bas.

Alors, sournoisement, le « casting » avait remplacé l'enquête, les investigations sur les « bienfaits de l'huile d'Argan » celles sur les « biens mal acquis », les stagiaires, les journalistes, et, lentement, sans même que l'on s'en aperçoive, on était passé de la génération concernée de « Touche pas à mon pote » et des colères de Daniel Balavoine à la génération sans cervelle de « Touche pas à mon poste » et aux coups de gueule de Cyril Hanouna.

En fait, en bourrant la télévision de bouts de rien et de TNT, celle-ci avait fini, comme les barils de Bachar, par faire énormément de victimes pour pas cher.

Alex écrase le joint.

« Tu sais ce qu'on fait aux types qui fument ?

— Non.

— On leur coupe les doigts. »

Arkan rigole.

« Ce serait dommage avec tout le talent qu'on a au bout des nôtres. »

La nuit tombe sur Alep. La guerre a soufflé toutes les

lumières. Seuls quelques incendies non encore maîtrisés rougeoient au loin.

« Ça va être calme ce soir, dit le Belge.

— Pourquoi ? demande Karim.

— Les lundis sont tranquilles. Une habitude d'avant la guerre, quand les gens rentraient chez eux après leur premier jour de boulot avec juste l'envie de flemmarder. Ça se gâte à partir du mardi en général. »

Karim se rappelle les soirées cinéma des débuts de semaine sous la couette avec Charlotte.

« Tu te souviens de la scène de fin de *Full Metal Jacket* ? » lui demande brusquement Arkan.

Karim connaît tout le cinéma par cœur et en particulier chaque plan de Stanley Kubrick.

Full Metal Jacket est un chef-d'œuvre, sans doute le meilleur film sur l'absurdité de la guerre avec *Voyage au bout de l'enfer* de Michael Cimino.

Kubrick y raconte les états d'âme de Joker, un jeune appelé en plein bourbier de la guerre du Vietnam, devenu journaliste pour *Stars and Stripes*, le journal de l'armée américaine, après avoir survécu à l'entraînement des marines.

Joker trimballe ses contradictions d'hélicos en charniers, « Born to kill » inscrit sur son casque à la place du cerveau, et le signe de la paix accroché au revers de son treillis juste sur le cœur, en évitant soigneusement d'avoir à choisir entre les deux.

Chaloupant entre les ordres, il parvient à s'en sortir sans avoir de sang sur les mains, jusqu'à la scène finale où, dans la ville incendiée de Hue, son groupe débusque un sniper et l'abat.

C'est une jeune femme. Elle agonise.

La scène est tournée en plans serrés. Les visages fatigués ne sont éclairés que par la lumière des flammes. Grandiose.

Gros plan sur Joker.

« Qu'est-ce qu'on fait ? »

Contrechamp sur Animal Mother, le chef de groupe.

« On l'emmerde, qu'elle crève. »

Silence. Joker est déchiré

« On ne peut pas la laisser ici. »

Plongée sur la jeune Vietnamienne. Sa bouche ouverte cherche à dire quelque chose.

Le traducteur :

« Elle prie. »

Retour en serré sur Animal Mother

« Si tu veux la buter, vas-y, bute-la. »

Gros plan sur le visage de Joker. On comprend qu'il lève son arme.

Plongée sur la mourante.

Elle le regarde suppliante, sans qu'on sache si c'est pour qu'il l'épargne ou qu'il l'achève.

D'un subtil mouvement de caméra, Kubrick fait disparaître le signe de la paix derrière un bout du col de Joker.

Le coup de feu claque. À l'image il ne reste plus que « Born to kill » sur son casque. La guerre l'a rattrapé. Personne ne peut y échapper.

« Tu es un dur, mec. Un sacré dur », commente une voix off sur le visage figé de Joker.

Arrive la scène dont parle Arkan.

Le groupe des marines se reforme et, en ligne, fusil à la main, progresse en contre-jour dans les ruines en feu.

209

C'est un lent travelling. Très doux, qui contraste avec la violence du décor.

Les armes et les silhouettes se découpent sur les immeubles en flammes. On devine l'extrême sauvagerie des combats. Plus rien ne tient debout. Tout est calciné.

Seuls les vainqueurs marchent sans bruit sur les restes de la ville et de leurs ennemis.

Arkan se lève.

« Tu vois, c'est ça qu'on va faire. »

Karim ne comprend pas.

« Quoi ?

— On va trouver un putain de village yézidi, on va le raser, y foutre le feu, et je vais y installer mes caméras.

— C'est génial ! s'excite Alex. Je veux deux drones. Ça va déchirer. »

Arkan lui tape dans la main.

« Et cet "enculé de fils de pute d'Américain" va aller se faire foutre avec ses 5 millions de vues !

— C'est dommage que Kubrick soit mort, regrette le Belge, on lui aurait envoyé la séquence. »

Arkan vient s'asseoir près de lui.

« Tu en es, mon frère ? »

Karim se souvient de la voix off qui monte sur le travelling silencieux des marines déployés dans les ruines.

C'est Joker qui parle.

« Je vis dans un monde merdique, dit-il, mais je suis vivant et c'est déjà bien pour moi. »

Il se sent pris au piège comme lui.

Combien de temps encore va-t-il pouvoir louvoyer jusqu'à Abou Ziad sans se compromettre ?

« Tu te rappelles le chant qu'entonnent les soldats à la toute fin du film ? » lui demande Arkan.

Bien sûr, il le connaît par cœur.

Ça va les gars ? *demande une voix.*
Oui, car ici tout est merveilleux, *répondent les autres.*
Alors marchons main dans la main et haut les cœurs.
Nous, les jeunes du monde entier, soyons courageux.
Mais qui est donc le chef de ce club
Où on est si heureux ?

Puis la voix épelle des lettres que chaque soldat répète une à une en les hurlant.

Elles forment un nom, que tous reprennent en chœur dans ce refrain devenu culte.

Mickey Mouse !
Mickey Mouse !

« Tu verras, sourit Arkan, je vais juste changer la fin. »
Huit jours plus tard, Karim est réveillé en pleine nuit.
À six cents kilomètres d'Alep, au nord-est de la Syrie, tout près de la frontière irakienne, Arkan a trouvé un village yézidi où tourner son clip.

Les combats n'ont même pas duré une heure. Les assiettes sont toujours sur les tables et les fours à bois allumés.

Une toute jeune fille, le cerveau éparpillé sur son cahier de classe, tient encore son stylo à la main.

Son frère est couché à ses pieds, un grand trou béant sur le côté droit.

Comme à Hue au Vietnam, presque rien ne tient debout.

Une odeur de mort monte des maisons brûlées et des cadavres d'animaux.

Il ne reste plus un homme. Leurs corps, deux à trois

cents peut-être, empilés à l'entrée du village, subissent déjà l'outrage des oiseaux.

Les drones d'Alex tournent autour comme des mouches.

Arkan gesticule en hurlant ses ordres à son premier assistant. Il ne veut rien louper.

Les cameramen, agenouillés dans les ruines ou perchés sur ce qu'il reste des toits, se mettent en place avant que la nuit tombe.

Des combattants, tous en noir, lourdement armés, répètent le chant du travelling final.

Karim pénètre dans le temple. Quatre murs en pierre blanche, surmontés d'un dôme en étoile. La porte est basse. Dans la tradition yézidie, on ne doit jamais poser son pied sur le seuil, mais la pierre est souillée des traces de bottes des soldats.

L'endroit est sombre et la pièce minuscule. Les hommes de Daech y ont entassé une centaine de femmes.

Arkan lui a demandé de faire la vidéo de la vente aux enchères.

Certaines ont été battues. Toutes sont nues avec dans les yeux une angoisse insondable. Par peur, beaucoup se sont oubliées et pataugent dans leurs excréments. L'odeur aigre est insoutenable.

Deux hommes entrent en tirant un tuyau d'arrosage et les nettoient au jet puis trient les plus abîmées et les font sortir une par une.

Il a honte de croiser leur regard. Elles lui rappellent les récits de l'arrière-grand-mère arménienne de Charlotte, ceux de la guerre d'Algérie aussi.

Les mêmes corps humiliés et triés. La même accélération de la mort. Les mêmes innocents rendus coupables toujours et encore.

Les hommes font aussi sortir deux très jeunes filles aux yeux bleus. Elles se vendent mal, disent-ils. Sans doute à cause d'un passage du Coran où il est écrit qu'en enfer :

Les damnés auront la figure noire, décharnée
Balayant le sol
Les yeux bleus, cautérisés avec des clous de feu
La langue allongée jusqu'au sol
Et foulée par eux
Le front marqué avec du métal en fusion

Pourtant, elles ont des visages d'ange. Comment peut-on voir en elles des démons ?

Chez les yézidis aussi le bleu est interdit, parce que le mot se dit « shîn » et qu'il commence par « sh » comme les deux premières lettres de Satan, dont ils ont interdiction de prononcer le nom.

Il les regarde s'éloigner. C'est étrange, les raisons pour lesquelles certains échappent à la mort.

L'arrière-grand-mère de Charlotte a survécu cachée sous son bourreau, mort d'une crise cardiaque en découvrant son corps d'enfant juste avant de la violer, et son père à lui, en Algérie, a échappé à l'armée française dissimulé dans un élevage de porcs, avec son fusil.

Sa caméra filme toute seule. Il s'est souvent demandé comment faisaient les reporters de guerre pour filmer tant d'horreurs et pourtant il le fait.

Les filles seront vendues sur Internet, perdant un peu de valeur chaque fois qu'elles changeront de main, comme des voitures d'occasion, jusqu'à ce qu'elles terminent à la casse, dans un charnier ou rachetées par leurs familles qui, désespérées, auront suivi leur calvaire de site en site.

Une vieille le condamne du regard. Il aimerait lui raconter, Charlotte, le Zébu Blanc, ses parents crucifiés dans leur salon, la frontière, Aznavour, Lila, Anthony et Sarah, et Abou Ziad bien sûr, mais tout ça lui semble tellement absurde.

Il n'a plus le courage de rien. Ni de les filmer ni de les libérer. Il a présumé de tout, de sa haine, de son désir de vengeance, de sa force.

La porte s'ouvre. Les filles sursautent. C'est Arkan.

« Putain, mais qu'est-ce que tu fous, bordel ? On t'attend. Laisse tomber ces conneries. »

Karim ne se sent plus la force. Il aimerait juste rentrer, tout oublier.

« Tu as vu *Spartacus* ? » demande l'Allemand.

Devant ces femmes nues, prisonnières de leur propre temple, préparées pour être vendues, la question n'a aucun sens.

Pourtant, Karim y répond, sans doute pour se donner une seconde l'illusion d'être ailleurs et de converser délicatement de cinéma.

« Celui de Kubrick ?

— Bien sûr celui de Kubrick, 1960, avec Kirk Douglas, quatre oscars et tout le tralala ! »

Karim l'a vu dix fois.

« Alors prépare-toi, mon frère, je crois que j'ai eu l'idée du siècle. »

Dehors, le village brûle.

« Ça tourne », hurle le roux.

Lentement, les silhouettes des soldats apparaissent détourées par les flammes. L'effet est spectaculaire. On se croirait dans *Full Metal Jacket*.

« Tu vas voir, lui murmure Arkan, quand on aura

étalonné les couleurs, ça aura encore plus de gueule. Hollywood n'aura qu'à bien se tenir. »

Le drone d'Alex rase les ruines, puis remonte les rangs, il frôle les armes et les visages, s'envole, puis redescend et tourne encore autour des soldats.

« Il est bon, cet enculé ! » apprécie le rappeur.

Le Belge s'éclate.

« Maintenant ! » hurle alors Arkan.

Lentement, les voix se font entendre.

Nous, les jeunes du monde entier
Soyons courageux
Mais qui est donc le chef de ce club
Où on est si heureux ?

Et tous reprennent en chœur :

Abou Bakr al-Baghdadi
Abou Bakr al-Baghdadi

Mickey Mouse détrôné par le calife de l'État islamique.

« Génial », murmure Arkan, content de son effet.

Il fait signe à Alex de décrocher de la troupe tout en continuant à diriger ses caméras au sol.

Le drone passe au-dessus de leurs têtes et remonte la rue principale.

Le cœur de Karim s'arrête.

« Stylé, non ? sourit l'Allemand. C'est un spécial Kubrick. J'ai mélangé les deux fins.

Dans celle de *Spartacus*, le général Crassus fête l'écrasement de la révolte des esclaves et donne l'ordre d'en crucifier six mille le long de la via Roma.

— J'en ai trouvé que quinze, il faudra que tu m'en rajoutes en trucage au montage. »

Elles sont là. Toutes celles qu'il croyait à l'abri, les abîmées, les vieilles, les gamines aux yeux bleus. Aucune crise cardiaque, aucune porcherie ne les a sauvées. Elles pendent attachées à des croix, à moitié nues et à moitié mortes.

Le drone d'Alex leur tourne autour. Au pied de chaque calvaire, les hommes ont allumé des feux pour garder la même lumière.

Celles qui ne se sont pas évanouies regardent leur village brûler les yeux grands ouverts de terreur.

Devant l'une des jeunes filles aux yeux bleus, un combattant déclame en anglais un prêche d'Al-Baghdadi.

Un jour viendra où le musulman sera le maître, noble, respecté en tout lieu, il lèvera la tête et son honneur sera préservé et personne n'osera s'attaquer à lui sans être châtié et toute main qui s'approchera de lui sera coupée. Que le monde sache qu'aujourd'hui est le début d'une nouvelle ère. Alors lève-toi et réveille-toi, le temps est venu de se libérer des chaînes de la faiblesse et de se soulever devant la tyrannie, les traîtres, les croisés, les protecteurs des juifs et des athées.

Tous les combattants l'ont rejoint et rendent hommage à Allah en criant son nom trois fois.

« Coupez ! hurle Arkan. C'est excellent. Merci à tous. »

Alex le supplie de lui laisser faire un dernier plan. Son drone s'élève et pique pour une séance de voltige entre les crucifiées.

Arkan a prévu un pot de fin de tournage. Les hommes installent des nappes, du miel et du pain aux pieds des suppliciées.

Karim lève la tête, comme le lui a recommandé

Baghdadi dans son sermon, mais ne voit dans ces corps qui pendent que du déshonneur.

Comment peut-on croire à autant de foutaises ? Qu'est-ce qui pousse à tant de barbarie ? Quels filets ses parents ont-ils tendus autour de lui pour lui éviter de tomber dans cette folie et que les hommes qui piqueniquent sous les croix n'ont pas eu la chance d'avoir ?

Il n'est pas comme eux. C'est décidé. Il va rentrer. Tant pis pour Abou Ziad. Il n'est pas né pour tuer.

Il faut plus de huit heures pour rejoindre Alep.

Dans la voiture, Arkan a senti son désarroi et essaye de le rassurer.

Depuis toujours, les vainqueurs ont cherché à faire disparaître toute trace des vaincus, lui explique-t-il.

Combien de fois Rome a-t-elle brûlé ? Combien de Palmyre les chrétiens ont-ils fait disparaître ? Toutes les idéologies s'en prennent aux hommes et aux symboles qui les ont précédés.

En France, nombreux sont les palais et les églises mis à mal à la Révolution, plus nombreux encore les protestants égorgés une nuit de Saint-Barthélemy et innombrables les femmes et les enfants réduits en esclavage bien avant Daech et chargés comme du bétail dans des bateaux venant de Nantes et de La Rochelle.

Combien de fortunes d'aujourd'hui ont été bâties sur la sueur des Noirs et le pillage des colonies ?

Arkan ne tarit pas d'exemples sur la barbarie de ceux qui les accusent aujourd'hui.

Alors pourquoi serait-ce différent en Syrie, dans « ce berceau des civilisations, ce lieu de passage prédestiné, dont la richesse et la beauté ont retenu, sans les mêler, tant de peuples, cette terre où poussent avec une force ardente les croyances et les hérésies... » comme l'écrit si bien le jeune Kessel dans son premier article en 1926.

De temps en temps, Karim prend le volant. Les gestes de la conduite le ramènent à un peu de civilisation. Qui a déplacé ici la frontière entre l'humain et l'inhumain ?

Il imagine les routes avant la guerre, le balancement des trembles dans le vent, la douceur de leur ombre, les vendeurs de légumes et de fruits hélant les chauffeurs, le ballet des taxis collectifs racolant les clients entre la route et les bas-côtés, la lumière aussi, si particulière, et les ânes surchargés de tout ce qu'il est possible d'imaginer, qu'il fallait sûrement doubler avec mille précautions.

Aujourd'hui plus personne ne prend le temps, les trembles ont été abattus pour se chauffer, les ânes embrochés et les taxis ne transportent plus que des soldats ou des réfugiés.

Seule reste la beauté de la lumière pour rappeler aux hommes ce qu'ils ont gâché.

Il aurait tant aimé connaître cette Syrie d'avant, lui présenter Charlotte, la prendre par la main et descendre la vallée des tombeaux à l'heure où le soleil s'y couche, croiser devant Palmyre et ses colonnes dressées, prendre un café au milieu des ruines à la terrasse du Zenobia Cham Palace, marchander avec un jeune vendeur de colliers assis sur sa moto, jouer à l'écho dans le théâtre antique de Bosra, longer les plages de Lattaquié les pieds dans l'eau et se perdre dans les dédales voûtés du souk d'Alep aux échoppes d'or et de pacotille.

Alep si longtemps cosmopolite, où depuis des siècles

les chrétiens blanchissaient, teintaient, tiraient les fils d'argent, tissaient, lustraient les étoffes, faisaient commerce de la dentelle et du satin.

Longtemps, les Arméniens y contrôlèrent le négoce de la soie. Leurs métiers à tisser bourdonnaient au-dessus des terrasses du quartier de Judaya.

On leur devait aussi les chafarcanis, ces cotonnades à fond rouge, teintées à la garance et imprimées au tampon de fleurs blanches.

L'arrière-grand-mère de Charlotte en avait fabriqué des mètres et des mètres dans son orphelinat d'Alep en attendant son visa pour la France.

Elle leur avait dit ses fous rires avec les jeunes yézidies, quand, jupes relevées, elles piétinaient les tissus mouillés pour les assouplir, l'air fier des jeunes Kurdes, couteaux à la ceinture, portant leurs moutons sur les épaules jusqu'au quartier de la viande et les frappes agiles des Tcherkesses martelant le cuivre dans un concert de cliquetis.

Même les juifs y avaient trouvé refuge après la destruction du second temple de Jérusalem par les Romains en l'an 70.

La Grande Synagogue avec sa cour ensoleillée, où les offices se tenaient l'été, est l'une des plus vieilles du monde et a longtemps abrité le codex d'Alep, la plus ancienne copie de la Bible hébraïque.

Aujourd'hui, il ne reste presque rien du quartier chrétien, le minaret fragile de la délicieuse mosquée des Omeyades n'est plus et personne ne sait dire si la Grande Synagogue tient encore debout.

Désormais, il n'est d'équité entre les confessions que devant la mort et les destructions.

Ils atteignent les faubourgs d'Alep. Les premières ruines s'empilent. Une école aux trois étages aplatis. Une station-service retournée sur le toit. Un pont d'autoroute planté droit dans l'oued qu'il enjambait, des voitures à l'envers, froissées comme s'il en pleuvait.

Au volant, Alex slalome entre les cratères avec sa dextérité de droner.

À l'arrière, Arkan chante un rap allemand.

Prenez vos AK
Venez canarder avec les Arabes
Faites fuir les Parisiens
Brûlez les pages de Charlie
Perforez les flics de Berlin
Crachez sur le coq tricolore

Brusquement, ils le sentent, il est là, quelque part. Personne ne sait où. Ils le devinent aux gens qui courent, aux chauffeurs paniqués, aux ballons abandonnés.

Karim se démonte le cou pour l'apercevoir.

Rien dans le rétroviseur.

Rien dans la vitre arrière.

« Tais-toi », ordonne Alex.

Arkan s'arrête en plein flow.

Il tourne au-dessus d'eux. Le Belge conduit la tête en l'air, collée au pare-brise comme Ray Liotta dans *Les Affranchis* quand il se croit poursuivi par les fédéraux.

Un taxi pile. Alex le voit trop tard, l'emboutit et s'ouvre le front.

« Prenez le matériel », ordonne Arkan.

La porte de Karim a du mal à s'ouvrir. Il se défonce l'épaule.

Le Belge et le roux sont déjà dehors.

Elle cède enfin. Il est projeté à l'extérieur et atterrit sur le dos.

« Bouge ! » lui hurle Arkan.

Il ne peut pas. Il ne peut plus. Il est paralysé. Vide d'énergie.

Juste au-dessus de sa tête, l'hélicoptère vient de lâcher sa petite crotte mortelle. Il la regarde flotter vers lui et la télécommande de ses pensées les plus noires, en espérant qu'elle lui ouvre le ventre pour ne plus avoir à continuer.

Le baril tournoie sur lui-même, puis dévie légèrement et transperce de haut en bas les six étages d'un immeuble encore debout.

Le souffle le décolle du sol, l'aspire comme une tornade. Il croise des corps qui tombent. Frôle une voiture, une cuisinière, un canapé aussi. Une vague de poussière et de gravats le rabat à terre sur les restes d'un réservoir d'eau. Quelques secondes plus tard, une jeune femme s'écrase sur ses jambes. La moitié de son visage pend sur sa poitrine qui respire encore un peu. L'autre s'est émiettée sur ses genoux.

Les derniers corps retombent et s'enchevêtrent, pliés sur les côtés comme des origamis.

Beaucoup sont morts au milieu d'une conversation.

Ça sent le sang et le café renversé. Un vieux tient son pied arraché entre ses mains. Des visages terrorisés cherchent d'autres visages, désespérément absents, des amoureux, des amies, des voisins. Un homme découpe le corsage d'une adolescente. Elle n'a plus de seins et respire mal. Ses yeux chavirent. Une mère embrasse le visage bleu de son enfant.

Il a déjà vu ces images. Il a déjà ressenti cette envie

de vomir, cette indignation devant la mort pour rien, aveugle, sans distinction ni raison.

C'est la même horreur qu'à Paris. La même haine absurde. La même négation de tout.

Ces victimes-là ne valent pas moins que d'autres. Elles laissent autant de désespoir derrière elles, autant d'orphelins.

Leur sang ne sèche pas plus vite, elles arrachent autant de larmes, qu'elles soient pleurées en arabe ou enterrées sur le côté, face à La Mecque.

Elles vont hanter les esprits, longtemps, comme Charlotte hante le sien, peu importent leurs voiles, leurs barbes, ou leurs kamis.

Comme à Paris, les sirènes emportent ceux qui ont une chance de vivre. Mais où sont les halls de théâtre pour abriter les blessés ici ? Où sont les hôpitaux, les chirurgiens, les cellules de soutien, les champs stériles ? Pourquoi les enfants brûlés restent-ils assis par terre, abandonnés ? Pourquoi les laisse-t-on seuls avec leur malheur ?

Karim aide un homme à sortir le corps de sa femme. Elle porte l'une de ces étoffes rouges à fleurs blanches teintées par les Arméniens. Il a l'âge de son père. Les victimes sont déjà alignées par dizaines dans des linceuls blancs.

« Que Dieu maudisse ceux qui nous combattent plutôt que de nous aider à nous débarrasser de Bachar », pleure le veuf.

Karim lui prend la main.

Il comprend sa haine. Elle n'a pas de camp. Il a éprouvé la même.

À chaque baril qui tombe, la terrasse d'un restaurant

tremble, à chaque terrasse qui tremble, un raid de la coalition secoue des immeubles, à chaque immeuble qui s'écroule, quelqu'un rejoint Daech.

Charlotte est morte de ce marabout de ficelle sans fin. La femme du vieux aussi et d'autres mourront encore, seul Dieu connaît déjà leur nombre et leurs noms, et puis un jour il y aura une dernière victime, comme il y en a eu une première, parce qu'on l'aura décrété et, avec autant d'acharnement qu'on a fait la guerre, on fera la paix et on ne se souviendra des morts qu'une fois par an en jouant du clairon.

De cet enfer de débris et de poussière s'élève soudain la voix du muezzin. Karim s'agenouille avec eux. Ils souffrent ensemble.

Le Belge est là, couvert de sang. C'est celui d'Arkan.

Cet enculé de fils de pute d'Américain peut dormir tranquille, il ne sera pas le nouveau Kubrick.

« Tu sais ce qu'il y a sous les grosses bites de Bachar maintenant, mon frère. »

Pour la première fois, il comprend ce que doivent endurer des millions de musulmans ici et ailleurs, de Bagdad à Tripoli, du Yémen à l'Afghanistan, pour pouvoir s'agenouiller cinq fois par jour devant Dieu.

Et ça ne fait pas mal qu'au front et aux genoux.

10

Raqqa est une petite cité alanguie sur les rives de l'Euphrate au centre de la Syrie. C'est la vitrine de Daech, son laboratoire, une publicité grandeur nature pour le djihad, le pavillon témoin de l'État islamique.

Capitale provisoire du califat, en attendant la prise de Damas ou de Bagdad, la ville de deux cent cinquante mille habitants a vu fleurir d'immenses affiches où l'on enseigne aux femmes à porter correctement le voile intégral.

Il ne faut apercevoir que la ligne des yeux, aucune transparence dans le tissu n'est tolérée, aucune forme ne doit être suggérée, aucun grain de peau dévoilé.

Pour les hommes, l'uniforme, c'est la barbe. Elle est obligatoire. L'imberbe provoque le désir des autres mâles et l'homosexualité est une ignominie condamnée par l'islam.

Pour Daech, tous les sodomites doivent donc périr comme ont péri les membres de la tribu de Loth en leur temps.

La Hisba, la police des mœurs, est omniprésente et surveille tout manquement à la loi islamique. Elle déporte, emprisonne, coupe les têtes trop glabres ou trop maquillées, entasse les cartouches de cigarettes et allume d'immenses bûchers attirant autour des flammes les fumeurs invétérés, qui tentent désespérément d'aspirer quelques bouffées, en faisant semblant de marmonner le nom d'Allah pour éviter les coups de fouet.

Daech fait aussi la chasse aux livres, l'autre poison mortel. L'imagination est une arme dangereuse, la littérature, c'est la liberté d'inventer d'autres mondes, or il n'en existe qu'un seul comme il n'existe qu'un seul livre, celui de Dieu.

L'ordre, c'est un domaine principalement réservé aux frères étrangers.

On les reconnaît à l'argent qu'ils dépensent dans les boutiques d'électronique. Ce sont les seuls à toucher une solde. Les autres attendent devant les soupes populaires.

Les Syriens les surnomment les « Martiens » car ils viennent d'ailleurs et se croient chez eux.

Ce sont des colons, comme jadis les Anglais, avec cette différence qu'ils prétendent en plus apprendre l'islam à ceux qui vivent ici depuis que le prophète est prophète.

Les « Martiens » sont détestés, on se moque de leur accent, de leur manière raide et figée de prier, de leur façon ridicule de s'habiller à l'afghane, comme si l'habit faisait le bon musulman.

Ils traînent une réputation de mécréants venus se refaire une virginité en terre de Shâm qui leur colle aux kamis comme une tache de kebab.

Pour éviter la décapitation ou la fosse commune, ils doivent constamment prouver à leurs maîtres qu'ils sont d'une fidélité sans faille, faire du zèle, dénoncer, arrêter, emprisonner, torturer, exécuter, racketter, s'acharner sur les Syriens en réinstaurant dans les rues de Raqqa la même hiérarchie que leur imposaient les caïds de leurs quartiers.

Parfois l'un d'entre eux est pendu à un lampadaire pour avoir trafiqué. Une manière de rappeler que l'État islamique s'applique de temps en temps les mêmes règles que celles qu'il impose.

Les « étrangères » ne sont pas mieux considérées.

Dans les maisons pour femmes où elles sont cloîtrées, leurs sœurs arabes leur passent parfois un coton-tige dans le vagin pour vérifier qu'elles n'y cachent rien, ni micro, ni moyen de communiquer, et, avant d'être mariées, elles sont testées contre toutes sortes de maladies par crainte qu'elles ne portent en elles les germes de leur vie d'avant.

Une fois par semaine, drapées de la tête aux pieds, toujours accompagnées d'hommes, elles vont skyper des nouvelles à leurs familles dans des cybercafés surveillés comme Guantanamo, en pianotant de leurs doigts gantés sur des claviers crasses.

En ville, Daech a rétabli l'ordre, l'eau, l'électricité et le « zakat », l'aumône en faveur des pauvres.

Tous les jours, grâce à la vente du pétrole et du coton qui traversent discrètement la frontière turque, l'État islamique distribue aux familles les plus démunies de quoi se nourrir et s'habiller, en échange du sacrifice de leurs enfants envoyés défendre le califat.

La guerre en consomme toujours plus. Elle s'enivre de leur sang. On meurt beaucoup sur le front, certains n'ont même pas le temps de tirer une rafale qu'ils sont déjà enterrés. Les combats les dévorent par milliers, les broient avec la régularité d'un tunnelier, dans un bruit fracassant, sans jamais s'arrêter, ne laissant derrière eux que des corps et des familles en miettes.

C'est la force de Daech de ne pas compter ses morts.

Il déverse ses soldats par vagues, ils submergent les lignes adverses, mus par l'amour d'Allah d'abord, puis par les effets du Captagon et, enfin, quand la peur est trop grande, par la menace d'être jetés vivants dans une fosse commune.

Régulièrement, les survivants paradent dans les rues, assis sur des missiles sol-air arrachés à l'ennemi ou debout sur des chars T72 qu'ils font tourner sur eux-mêmes comme ils le faisaient avec des BMW sur les parkings de leurs supermarchés.

Raqqa, c'est la ville du repos des guerriers, Saïgon version hallal, sans les putes ni l'alcool, la Cinecittà des services de propagande, un immense studio à ciel ouvert, à la gloire du retour de tous les enfants du prophète en terre de Shâm.

Il ne manque jamais une équipe de tournage pour immortaliser la liberté, l'égalité et la fraternité retrouvées entre les musulmans du monde entier.

Parfois, et entre deux cours sur la charia, on installe une grande roue et les enfants s'amusent, brandissant des fusils d'assaut en plastique devant les caméras.

Il y a toujours une mise en croix ou une lapidation pour remplacer les cinémas fermés.

La cité alanguie sur les bords de l'Euphrate est devenue un immense asile où les fous d'Allah sont laissés en liberté.

Cinq fois par jour, la ville s'arrête et ses rues charrient des milliers de corps agenouillés dans la poussière et dans le brouhaha de la prière.

Seuls quelques-uns résistent.

Des snipers du smartphone et de la GoPro que la police traque et pend.

Au risque de leur vie, ils postent sur YouTube les rares images qui ne soient pas contrôlées par Daech.

La France avait ses FTP, ses résistants du maquis, la Syrie a ses http, ses résistants numériques.

À chaque guerre, ses armes et ses combattants.

Karim s'enferme quatre jours et quatre nuits pour monter les images du massacre des yézidis.

C'est comme s'il plongeait les mains dans les entrailles de toutes les victimes. À chaque plan, ses doigts collent.

Le clip enflamme les réseaux. Arkan n'est pas là pour en recueillir la gloire, et c'est lui qu'on invite à la projection en plein air, place Al-Naim, là où d'habitude ont lieu les exécutions publiques.

Une centaine de femmes occupent les premiers rangs. Elles ressemblent à des poupées russes qu'on aurait oublié de peindre. À travers leur niqab, elles ont droit à la version cinémascope.

Comme dans *Full Metal Jacket*, Karim a ajouté « Paint in Black » à la bande-son.

Ça leur va bien.

Sur l'écran géant, les drones d'Alex frôlent les visages des suppliciées.

Il essaye d'imaginer les leurs sous les gangues de toile noire. Il aimerait les peler une à une pour savoir combien s'émeuvent du calvaire de ces autres femmes qui leur ressemblent à un dieu près.

Daech a même réussi à effacer ce réflexe qui les rend solidaires entre elles.

Les hommes, eux, grimpés sur leurs pick-up, bandent de haine pour ces innocentes qu'on écorche vives.

Ils n'ont plus rien dans la tête ni dans les yeux, juste leurs armes plantées entre les cuisses qu'ils caressent des deux mains.

Il y a cinquante ans, les jeunes partaient faire l'amour et pas la guerre.

Le monde entre-temps a accompli un violent tête-à-queue.

« Je regarde en moi et je vois que mon cœur est noir », regrettent les Stones dans « Paint in Black ».

J'aimerais tellement disparaître et ne pas avoir à affronter tout ça
Ce n'est pas facile de faire face quand tout autour est peint en noir

Alex se penche à son oreille.

« Bravo, mon frère.

— Quoi ?

— Tu connais Abou Ziad ? »

Le cœur de Karim s'arrête.

« Le recruteur ?

— Oui. Il a vu ta "Marseillaise", il veut qu'on descende à la frontière irakienne filmer l'entraînement des kamikazes. »

Sur l'écran géant, la jeune fille aux yeux bleus lui jette un regard étrange, comme si elle le suppliait d'aller au bout.

« Il sera là ? »

Alex hausse les épaules.

« Lui, on ne sait jamais où il est. »

Le lendemain matin, ils quittent Raqqa et prennent la route du sud-est en direction de Deir ez-Zor.

Le désert de pierre n'est qu'un immense cimetière.

Des centaines de milliers d'Arméniens ont été conduits ici de force par les Turcs pendant la Première Guerre mondiale et privés d'eau et de sommeil, jusqu'à ce qu'ils s'étouffent de sable pour ne pas mourir de faim.

Régulièrement, les chiens y déterrent encore des os.

L'arrière-grand-mère de Charlotte faisait partie des convois. Sa famille est là quelque part, émiettée entre les cailloux.

À six ans, elle a été vendue comme esclave à une famille de nomades par ses geôliers et a miraculeusement échappé aux charniers.

Karim se souvient de sa photo dans un cadre sur un mur de la maison. Elle portait un collier de pièces sur le front et le tatouage d'un petit oiseau bleu aux coins des yeux, la marque de ses maîtres.

C'était en août 1915.

Cinq ans plus tard, une association humanitaire américaine, le Near East Relief, levait des fonds pour venir au secours des rescapés.

Elle racheta l'adolescente qu'elle était devenue et l'envoya retrouver les siens dans un orphelinat d'Alep.

Aujourd'hui, les mêmes convois traversent les mêmes déserts mais personne ne vient au secours des yézidis. Ils meurent seuls, abandonnés, moins bien traités que la plupart des grands singes d'Afrique.

Du monument à la mémoire des morts arméniens érigé en 1989, il ne reste rien, Daech l'a dynamité et ses ruines servent de latrines aux combattants. Une deuxième fois, leur dépouille est souillée.

La route laisse Deir ez-Zor et pique au sud vers Abou Kamal, à la frontière irakienne.

« Tu sais où on va ? demande Karim.

— À Mari, une ancienne citée mésopotamienne à dix kilomètres de l'Irak.

— C'est là qu'ils s'entraînent ? »

Alex bichonne son drone.

« Oui, détruire un site archéologique, c'est un crime contre l'humanité. Enfin, pour eux, pas pour nous, ajoute-t-il aussitôt, alors on est tranquilles, personne ne bombarde. C'est comme une capote, ça nous protège. »

La route traverse Abou Kamal, un gros bourg aux maisons de terre assoupi de part et d'autre de l'asphalte ramolli.

Juste avant la sortie, Alex fait arrêter la voiture devant une sorte de château aux murs en pisé.

À l'intérieur, dans la cour, est garé un camion dont la citerne est camouflée sous une armature en fer recouverte d'une bâche.

« C'est Hamed. Il fait le voyage jusqu'en Turquie deux fois par semaine pour sortir du pétrole. »

L'homme est discret.

Une jeune yézidie leur porte le thé. Elle a les yeux vides, le droit est à moitié fermé. Plus personne n'a l'air d'habiter son corps.

« Allez, fous le camp ! » lui hurle le chauffeur en lui arrachant le plateau des mains.

Elle a tatoué sur le dessus de la main un petit oiseau bleu. Elle baisse le regard et trottine jusqu'à sa niche, une natte en jonc déroulée à même le sol devant le four à pain.

Hamed pose aussitôt deux cartouches de cigarettes et une barrette de shit sur la table.

« Tiens, ce que tu avais commandé. Je repars demain soir pour la frontière turque, si tu veux autre chose... »

Alex glisse 100 dollars sous sa tasse, ils disparaissent aussitôt dans la poche du chauffeur.

« Hamed peut presque tout faire ici, si tu as besoin de quoi que ce soit, n'hésite jamais, il est cher mais sûr et discret. »

L'État islamique a mis la main sur une dizaine de champs de pétrole entre la Syrie et l'Irak et sur une demi-douzaine d'autres dans la région de Deir ez-Zor.

Une partie est raffinée sur place et revendue à la population, l'autre est exportée en Turquie par une myriade de camions.

Le trafic rapporte près de 1 million de dollars par jour à Daech, environ la moitié de ses revenus, le reste provenant d'un savant mélange d'impôts, d'extorsions de fonds et de rançons.

Une manne qui permet à l'État islamique d'être autosuffisant.

Karim s'étonne que personne ne bombarde les convois.

« Toujours ce vieux sentiment judéo-chrétien de culpabilité, sourit Alex. Ça nous sauve les fesses, mon frère ! Grâce au pétrole de Daech, la plupart de ceux qui vivent ici arrivent encore à se chauffer et à circuler, même Bachar nous en achète ! Alors c'est comme pour les sites archéologiques, ils ont peur de faire plus de mal que de bien et finissent par ne rien décider. »

La jeune yézidie s'est roulée en boule. Mari n'est plus qu'à un gros kilomètre.

Ils saluent Hamed et reprennent la route. Cent mètres plus loin, deux femmes en niqab les arrêtent à un barrage.

Elles font partie de la redoutable brigade Al-Khansaa, chargée de faire appliquer la charia. D'habitude, elles ne s'aventurent pas beaucoup en dehors de Raqqa.

Elles sont réputées pour leur violence. Elles coupent les seins des femmes qui allaitent leurs bébés pour crime d'indécence et font décapiter les mariées au visage trop maquillé.

L'une d'elles jette rapidement un œil dans la voiture et leur demande leur ordre de mission. Une autre appelle deux hommes pour ne pas avoir à les toucher.

La fouille au corps est méticuleuse. Un bon signe, se dit Karim. Abou Ziad est peut-être au camp.

Ils repartent sans problème.

Les terres de la région, gonflées des alluvions de l'Euphrate, sont riches et prospères. On y commerce le bétail, le coton et les céréales depuis des siècles.

Il y a trois mille ans sans doute, des hommes ont détourné les eaux du fleuve en creusant un canal pour irriguer les sols arides et les transformer en pâtures grasses et fertiles.

Un travail de titan, une maîtrise des techniques hydrauliques exceptionnelle, qui a permis la naissance de la Mésopotamie et de villes comme Ur, Ugarit, Ninive, Babylone ou Mari.

Pour les Mésopotamiens, première société urbaine avec l'Égypte antique, la ville est indispensable à l'épanouissement de la civilisation. C'est son cocon, sa matrice. Comme un utérus, ses murailles protègent du chaos du dehors.

À l'abri du tumulte et de la sauvagerie, elle peut se développer, grandir, imaginer l'écriture, inventer un modèle politique, penser son rayonnement, adorer et protéger ses dieux.

Comme pour toutes les grandes découvertes, c'est une petite histoire qui en est à l'origine.

En 1933, un Bédouin cherche une pierre pour la tombe d'un des siens et met au jour une statuette.

Sous le fragile petit bout de terre cuite reposent la ville millénaire de Mari et son palais royal aux cinq cent cinquante pièces.

Très vite, les archéologues français découvrent des milliers de tablettes d'argile où est consignée l'histoire jusqu'alors ignorée du royaume de Mésopotamie.

Aujourd'hui, comme l'ossuaire profané des victimes du génocide arménien, les vestiges des splendeurs de Mari servent de latrines aux combattants, et des milliers de cratères témoignent des pillages et des fouilles clandestines dont chaque butin termine entassé dans des camions comme celui d'Hamed, en route pour la Turquie.

Pour Daech, rien ne doit avoir précédé l'islam. Il faut tout nier, tout détruire, effacer chaque trace de ce qui a pu être, comme si une civilisation pouvait émerger du néant.

Pourtant, rien ne naît de rien. Tout est obligatoirement relié à quelque chose. L'épi ne peut pas se passer de la paille, et la paille a besoin des racines pour porter le grain. C'est la loi du monde. Prétendre le contraire est hérésie et prétention, péché d'orgueil.

Jamais le Coran ne le laisse croire d'ailleurs. Au contraire même : « À vous votre religion et à moi la mienne », a dit le prophète.

Alors pourquoi détruire les bouddhas de Bamiyan, le tombeau de Jonas, les lions assyriens de Raqqa, la bibliothèque de Mossoul et les colonnes du temple antique de Baalshamin ?

Sur le commandement de quel verset, au nom de quelle sourate ?

Les plus grands conquérants restent ceux qui ont su cultiver les différences.

Mais ceux de Daech ne peuvent pas savoir, ils n'ont jamais ouvert un livre d'histoire, au contraire, ils le brûlent.

L'inculture est le terreau de tous les fanatismes.

À vouloir construire sur rien, tout finit par s'écrouler. D'ailleurs, l'État islamique a déjà perdu de sa superbe. Au nord, les Kurdes ont repris Kobané pierre par pierre, charnier par charnier. Partout en Irak, des villes et des villages changent de main. Les bombardiers de la coalition font un mal de chien.

Alors, il faut porter les coups ailleurs. Exporter l'horreur pour faire oublier les revers et les replis. Cent morts à Paris, c'est une défaite d'effacée en Syrie. Voilà pourquoi on s'entraîne à Mari.

Deux mille six cents ans avant Jésus-Christ, Mari était une ville dense, construite selon un plan circulaire.

Du palais royal occupant presque tout le centre, une dizaine de rues principales rayonnaient jusqu'aux remparts ouverts de portes et surmontés de tours de guet.

À l'est, un canal d'une trentaine de mètres détournait les eaux de l'Euphrate et traversait toute la cité pour l'alimenter.

Au-delà des remparts, une digue de deux kilomètres de

diamètre formait une deuxième enceinte et protégeait les habitants des crues.

Trois fois Mari a été détruite et reconstruite avant de s'effacer lentement sous les assauts du sable et du vent.

Aujourd'hui, de la flamboyance de la cité mésopotamienne, de ses canaux, de son palais, de ses jardins sucrés et ombragés, il ne reste presque rien, juste les circonvolutions désordonnées de bourrelets de pisé dont seuls quelques archéologues sont encore capables de décrypter l'utilité.

Entre les vestiges, une trentaine d'hommes ont établi leurs quartiers sous des toiles tendues pour se protéger du soleil.

C'est une petite Europe du suicide. Il y a des Belges, des Allemands, des Italiens, des Français, deux Danois et même un Islandais, tous là pour mourir, un ancien taulard, un mécanicien, deux boulangers, un pharmacien, un vendeur de légumes, un braqueur, un ambulancier, un militaire et une bonne demi-douzaine de petits trafiquants en tout genre. Pourtant, rien ne laisse deviner sur leur visage le sacrifice qu'ils s'apprêtent à faire.

Le drone d'Alex repère déjà les ruines. À part l'ancien palais royal couvert d'un toit de tôle et une petite maison construite en 1983 pour le cinquantième anniversaire du début des fouilles, tout le reste du site est à ciel ouvert.

De grandes tentes, volées à l'armée irakienne, ont été installées entre les restes de murs. Sous la toile, on loge les hommes, on les motive à porter les ceintures mortelles, on leur apprend à manipuler les détonateurs.

Le dessous d'un auvent en bois est entièrement dédié à la cuisine. Dans la dernière ligne droite avant le paradis, les candidats au martyre ne doivent manquer de rien.

Leurs familles non plus d'ailleurs, Daech leur promet de prendre soin d'elles, comme les vierges prendront soin des sacrifiés quand ils auront rejoint Allah.

C'est Zinedine qui vient à leur rencontre. Il porte une prothèse à la place du bras gauche, un accident du travail, dû à la manipulation hasardeuse d'une petite quantité de TATP, un explosif extrêmement volatil, la « mère du diable » comme le surnomment amoureusement les djihadistes.

Le manchot est un ancien ingénieur des ponts et chaussées irakien formé à Mulhouse. Il parle avec un léger accent alsacien.

« Posez juste vos sacs, leur dit-il en leur indiquant une petite tente à une centaine de mètres, installée dans les ruines d'un ancien hammam. On va tout de suite au think tank. »

Il a prononcé le mot en anglais. Étrange vocabulaire, rien ne fait penser ici à ces campus modernes où entre bac + 8 les idées s'aiguisent et se confrontent. On se croirait plutôt dans la cour d'un pénitencier, les armes en moins bien sûr, tout le monde porte la barbe mal taillée et le treillis noir.

Pour rejoindre le « laboratoire d'idées », il faut passer devant l'ancien palais royal. Pas moins de six hommes montent la garde et obligent Karim à un détour.

Visiblement, l'endroit est stratégique.

Devant la tente du « think tank », un groupe électrogène ronronne et crache un peu de fumée. Au sol, des câbles se tortillent jusque sous la toile devant laquelle est montée une antenne relais.

La modernité s'arrête là. À l'intérieur, une dizaine

d'hommes armés, assis sur des tapis, macèrent dans une insoutenable odeur d'oignon et de chaussettes sales.

La séance de brainstorming a déjà commencé. Alex et Karim se glissent discrètement à l'avant-dernier rang.

L'instructeur, un jeune Syrien, commente une liste des métiers qui défile sur un écran.

« Cherchez à les exercer ou à recruter quelqu'un qui les exerce. Les uns vous éviteront d'avoir à trouver de grosses quantités d'explosifs, les autres vous feront rentrer sans effort dans des endroits à fort potentiel de destruction. »

Il égrène sa liste.

« Livreur de gaz ou d'essence par exemple. Chaque camion est une bombe roulante. Profitez-en.

— Il faut le permis poids lourd, objecte un Danois.

— On va vous apprendre à conduire, après il suffira d'en acheter un faux. Vous aurez l'argent et les réseaux pour ça. »

L'ambiance est studieuse. Certains prennent même des notes.

« Cherchez toujours à faire soit le plus de victimes possible, soit l'action la plus symbolique. Une fois au volant du camion par exemple, approchez-vous au plus près d'un centre-ville et faites-le exploser. Ou alors collez le bus d'une équipe nationale de foot un soir de match, quand toutes les caméras sont braquées sur lui, et déclenchez. Là vous frapperez fort et c'est mille fois plus facile que de rentrer dans un stade. Essayez aussi de vous faire embaucher dans une équipe de nettoyage du métro, ou comme gardien de nuit d'un grand hôtel. Ça permet d'introduire les produits un par un et de les assembler à l'occasion d'un événement qui attire du monde. Épluchez les petites annonces aussi, repérez celles qui sont là depuis longtemps et postulez, les employeurs seront pressés de vous engager et moins exigeants sur les contrôles. En ce moment, n'importe qui peut trouver du travail dans la sécurité. Prenez le boulot, soyez bons et polis, faites-vous oublier et, quand c'est le moment, appliquez la volonté d'Allah. »

À l'évocation du nom de Dieu, tout le monde se caresse la barbe et marmonne en signe de respect.

« Quelqu'un a réfléchi à autre chose ? » demande l'instructeur.

Un deuxième lève le doigt.

« Les obèses, c'est bien aussi. »

L'intervenant ne comprend pas.

« Un jour, j'ai vu un type de plus de cent cinquante kilos dans une vidéo sur Internet qui s'amusait à faire tenir une arme sous les plis de son ventre. S'il n'y pas de détecteur dans un meeting politique ou dans un grand magasin, ça peut faire très mal. Il suffit d'aller recruter dans les salles de sport, il y a toujours des gros. »

Karim désespère. Ils sont comme les lemmings, ces petits rongeurs du Grand Nord de l'Europe, qui chaque année migrent par milliers sans que rien ne les arrête, ni les rivières qui les emportent ni les routes où ils meurent écrasés, peu importent les risques, ils avancent jusqu'à la mer pour s'y noyer, préférant la mort à la vie, sans que jamais personne n'ait compris ce qui pouvait les décider.

Il repense à tous les passagers du Paris-Bruxelles, à l'aveugle, à la famille œufs durs et pain de mie, aux deux Japonais et à leur thermos, à tous les trains, à toutes les brocantes de village, à ces marchés de Noël, à ces cibles possibles qu'aucune police, qu'aucune armée ne pourra jamais toutes protéger, à ces autres Charlotte innocentes elles aussi qui un matin sortiront de chez elles des projets plein la tête et qui jamais ne rentreront, abandonnant leurs livres et leurs rêves à d'autres.

« Dans les magasins, précise un Libanais d'à peine vingt ans, ce n'est pas la peine de rentrer une arme, tu arrives sans rien, tu vas au rayon cuisine, tu prends un couteau, ça suffit. »

Alex interpelle l'instructeur à son tour.

« Moi, je trouve qu'on se concentre trop sur les villes et qu'on ne fait pas assez dans les campagnes, mon frère. »

Tout le monde se retourne et approuve.

« Pour l'instant, continue-t-il, il n'y a que les citadins qui tremblent, il faut qu'ils aient tous peur. »

Le Syrien a l'air intéressé.

« Et tu proposes quoi ? demande-t-il.

— On débarque à quatre dans un village d'une dizaine de maisons et en cinq minutes on nettoie tout le monde et on repart. Là tu vas les rendre paranos, surtout si tu filmes et que tu mets en ligne. »

Un plus jeune a mieux.

« Faut choisir un grand lycée et mitrailler tous ces fils de pute qui viennent s'embrasser et se féliciter le jour des résultats du bac, qu'ils se pissent de peur dessus avec leurs cent pour cent de réussite ! »

Plus de question. Avant de suspendre la séance, l'instructeur s'adresse à tous :

« Dieu compte sur vous. »

Il parle calmement en les pointant un à un du doigt.

« Je sais que vos familles essayent chaque fois qu'elles

le peuvent de vous décourager, mais cette vie n'est qu'un court instant à passer, vous les retrouverez là-haut, et grâce à votre sacrifice vous les sauverez de leurs péchés. Vous cherchiez à donner un sens à votre vie, Allah vous l'offre. Vous êtes les anges qui allez guider les autres musulmans vers le bon chemin. À la fin, croyez-moi, ne seront préservés des troubles que ceux qui prennent l'épée pour combattre les ennemis de Dieu et ceux qui font allégeance au calife des musulmans. »

Certains ont les larmes aux yeux. Au premier rang un homme sanglote.

« Ne croyez pas non plus ceux qui disent que votre mort est un suicide. Le suicide est interdit par l'islam. Vous ne vous ôtez pas la vie, vous échangez celle d'ici contre celle de l'au-delà, la vraie, où dans le jardin d'Eden vous attend un palais de perles, aux soixante-dix cours de rubis, avec dans chaque cours soixante-dix maisons d'émeraude et dans chaque maison soixante-dix lits et sur chaque lit une femme. »

Karim regarde les visages un par un. Il y devine la fatigue, la peur, les doutes, les longs mois de clan-destinité, de privation, d'entraînement et de combats acharnés, la méfiance sans fin des uns envers les autres, la grande solitude loin de tout, dans la chaleur d'un désert hostile, sans repères, sans aucune certitude d'avoir fait le bon choix, avec comme unique solution cette fuite en avant sans fin, pour ne pas avoir à se repro-cher l'angoisse insoutenable des leurs et tous ces morts laissés derrière eux, et puis tout au fond du regard cette envie désespérée d'y croire, d'en finir et de s'abandonner enfin sur ces lits, dans ces maisons d'émeraude.

La séance est levée. Les combattants rejoignent leurs tentes sans un mot, engourdis d'émotion.

Karim aussi aimerait baisser la garde, rendre les armes, s'allonger sur ces lits dorés et en finir. Il ferme les yeux pour faire disparaître ce décor de haine et retrouver un instant le grain de peau de Charlotte. Pourquoi le destin l'a-t-il mené ici ? Il s'arrête un instant et regarde la ville antique.

Le soleil couchant rase les ruines. Elles sont trouées d'immenses vides comme sa vie. Les pillards ont même arraché des entrailles de Mari un petit sceau cylindrique à l'image d'Isis.

Lui aussi a été dépouillé de tout. Cette ville lui ressemble. Il tend la main et caresse son corps de sable. Il aimerait tant lui confier sa peine. Si elle savait tout le mal qu'on lui a fait aussi.

Le lendemain, Alex reçoit l'ordre de rejoindre le front avec ses drones. Les Kurdes gagnent du terrain à la frontière turque. On a besoin de lui. Les combats sont âpres et difficiles et il faut magnifier les guerriers.

Karim reste à Mari. Il est attendu près de l'ancien palais royal dans la petite maison construite en 1983 pour le cinquantième anniversaire de la découverte du site.

Les archéologues français s'en servaient de bureau, ils étalaient sur la table des plans minutieux où figurait chaque découverte. L'État islamique en a fait son atelier. Les candidats au suicide apprennent à y fabriquer leur poison, la « mère du diable », un mélange inventé au XIXe siècle par un chimiste allemand et devenu l'explosif favori de Daech.

Karim regarde les bocaux de poudre blanche cristalline alignés sur la table en bois. Charlotte est morte de ça.

Dans la pièce, on a installé la clim grâce à un groupe électrogène, alimenté par de l'essence raffinée ici.

Il fait à peine 18 degrés. Un chimiste aux mains gantées s'affaire autour d'une table. Il a une quarantaine d'années et une barbe déjà blanche. Ses yeux sont protégés par de ridicules lunettes en plastique. À chaque prestation, comme un torero, il joue avec la mort.

« Tu t'appelles comment ? demande-t-il.

— Karim.

— Moi, c'est Youssef. J'étais chimiste dans les parfums. »

Il replace vingt fois le même objet pour l'avoir devant lui au millimètre près.

« Alors, tu fais exactement ce que je te dis si tu ne veux pas que cette saloperie nous arrache la tête. »

Pour le convaincre, il verse un peu de poudre blanche sur un coin de la table et craque une allumette. Comme dans un numéro de cabaret la poudre s'enflamme et disparaît en un éclair.

« Tu vois, ça s'embrase à la moindre étincelle. Alors, tu n'approches pas ta caméra. Et tu ne la laisses pas tomber non plus parce que c'est très sensible au choc. »

Il dépose à nouveau un peu de poudre et la frappe de la tête d'un marteau. La déflagration est immédiate. Elle lui crève les oreilles.

« Tous ceux qui sortent d'ici doivent savoir fabriquer cette petite merveille. Et ceux qui n'ont pas la chance de pouvoir venir aussi. Alors, l'idée, c'est que tu filmes chacun de mes gestes en les décomposant pour un tuto qu'on mettra sur le Net. Tu fais sauter un kilo de ce bijou dans un endroit fermé et tu ne peux même plus compter les morts ! C'est ce qu'ils ont utilisé à Londres en 2005 et à l'arrivée du Marathon de Boston aussi. »

Karim revoit les images.

« Et tu te souviens du Zébu Blanc ? »

Il serre les dents.

« Eh bien, le type s'est formé ici. Normalement, il devait se faire exploser à l'intérieur, ça aurait fait trois fois plus de morts, mais ce con a choisi la terrasse ! »

Youssef remarque son malaise.

« Ça va ? »

Karim ne répond pas.

— Oui, se reprend-il après un moment, c'est la clim ça me fait mal aux yeux.

— Bon, on y va ?

— C'est parti. »

Karim cache son émotion derrière sa caméra.

Sur la table, le chimiste a rassemblé les produits de base : l'acétone, l'eau oxygénée, l'acide sulfurique, quelques pipettes et trois récipients en verre

La fabrication doit absolument se faire à moins 10 degrés et dans les proportions exactes. Pour ça, Youssef a plongé un récipient dans un grand bac rempli de glaçons. C'est ce qu'il y a de plus difficile à trouver ici.

Il y verse d'abord le mélange d'eau oxygénée et d'acétone puis il attend qu'il atteigne la bonne température et y ajoute l'acide mélangé à un peu d'eau, qu'il verse délicatement avec une pipette.

Karim est crispé.

C'est la phase la plus dangereuse. Des dizaines d'apprentis sorciers y ont laissé la vie ou la main. Quelques degrés de trop et le mélange vous saute à la figure. Il faut constamment surveiller le thermomètre.

« Voilà, maintenant, il faut la laisser cristalliser toute la nuit pour obtenir ça. »

Youssef sort d'un bocal une grossière poudre blanche qu'il tamise dans un chinois pour la rendre plus fine.

« Après, tu la mélanges à de la cellulose et tu obtiens une sorte de mastic qui peut prendre toutes les formes. »

Il ouvre une boîte pleine de pâte blanche.

« C'est rustique, ça peut se fabriquer n'importe où, ça ne coûte rien, ça fait des dégâts du diable et pas besoin de détonateur sophistiqué, un simple contact électrique suffit pour déclencher l'explosion. »

Le chimiste attrape une gaine en tissu sur une étagère. Elle se ferme par deux bandes de velcro. Sur toute la longueur, des poches ont été rajoutées.

« Ce sont les petites filles de Raqqa qui les fabriquent. On leur donne la taille et elles les font sur mesure. Tu remplis une poche sur deux d'explosif, l'autre de clous et de boulons pour faire plus de dégâts. Celle-ci, c'est pour un type qui doit se faire sauter après-demain sur le marché de Ramadi à une centaine de kilomètres de Bagdad. »

Youssef bourre la ceinture de pâte avec précaution, puis enfonce délicatement deux fils électriques dans une petite boule d'explosif qu'il glisse dans une poche de côté. Il les relie à un bouton-poussoir raccordé à une pile 9 volts.

« Ça, c'est pour déclencher l'explosion, c'est le reste de la charge qui va faire le gros des dégâts. Voilà, dit-il en reposant le tout, la mère du diable est prête à vous prendre dans ses bras. C'est Dieu qui décide maintenant. »

Karim regarde le mortel bricolage.

« On sent quelque chose ? demande-t-il. Ça fait mal ?

— Non, rien, tu meurs coupé en deux avant que ton doigt ne relâche le bouton. Il faut crier le nom d'Allah avant sinon tu n'as pas le temps. »

Il fignole le déclencheur en recouvrant les fils de chatterton noir.

« Tu as filmé l'atelier couture ?

— Non, pourquoi ?

— Tu devrais, on leur apprend à faire les ceintures pour qu'ils puissent tout fabriquer sur place. C'est drôle, on dirait de vraies gonzesses. Ils détestent ça ! »

Youssef range précautionneusement chaque produit.

« J'irai plus tard, après je dois aller recueillir le témoignage du type qui va mourir à Ramadi, dit Karim.

— Un jour, moi aussi, je me ferai sauter, mais par accident. Tu crois que j'aurai droit aux soixante-dix vierges ? »

Il ne répond même pas.

« Pourtant, tu sais combien j'ai fabriqué d'engins comme ça ? Pas loin de trois cents ! Si tu comptes une moyenne de trente morts par explosion, ça fait plus de neuf mille, et je ne te parle pas de ceux que j'ai formés et qui se sont fait exploser avec leur propre matériel à Paris ou ailleurs. »

Karim attrape la ceinture.

« Hey, qu'est-ce que tu fais ? »

Il saisit le détonateur, ferme les yeux et appuie sans respirer.

Mais rien. Pas de jardin, pas de maisons d'émeraudes, à peine un petit clic sous son doigt.

« Alors ? »

C'est la voix de Youssef.

« Quoi ? demande-t-il, surpris.

— Tu vois les vierges ? »

Karim rouvre les yeux.

Il est en un morceau, le chimiste aussi.

« Tu es fou, c'est dangereux, ne prends jamais le détonateur par le haut, attrape-le comme ça par le fil et remonte doucement vers le bouton. »

Il lui montre.

« Heureusement, je n'avais pas raccordé à la pile, sinon on était morts. »

À l'intérieur, Karim tremble encore.

Le chimiste lui tend la ceinture.

« Tu veux l'essayer avant que je l'alimente ?

— Non. »

Dommage, il l'aurait bien coupé en deux.

La tente est un peu à l'extérieur du site. En s'inclinant, le soleil l'éclaire en contre-jour. On dirait une double page de *National Geographic*.

Chaque martyr doit laisser une trace de sa mort, son testament, expliquer le sens de son sacrifice. C'est une tradition. En arabe, on appelle ça la « wasiya ».

Même Mahomet a rédigé une lettre pour ses fidèles.

Aujourd'hui, les clefs USB ont remplacé les parchemins.

Karim est là pour ça. Il doit enregistrer les dernières volontés de celui qui va ensanglanter le marché de Ramadi. Elles authentifieront l'attentat.

Deux versions sont toujours nécessaires. L'une revendique

au nom de Dieu l'action telle qu'elle était prévue, la seconde, plus vague, sert en cas d'échec ou de changement de cible au dernier moment.

Aurélien aussi a fait son testament. Karim a retrouvé la vidéo sur Internet un soir à Alep.

Face à la caméra, dans sa chambre, le drapeau de Daech recouvrant les posters de Ronaldinho et de Gisèle Bundchen, il explique son geste par un passage du Coran.

« "Combattez-les jusqu'à ce qu'il ne subsiste plus d'association et que la religion soit entièrement à Allah." Voilà pourquoi je meurs et voilà pourquoi ils mourront ce soir. Pour qu'un jour nous ne vivions plus qu'entre musulmans. »

C'est tout ce qu'il a donné comme explication à la mort de Charlotte et d'Isis, sa fille, dont le nom l'écorche vif chaque fois qu'il s'en souvient, comme s'il se râpait la mémoire contre un mur de pierre.

Un verset vieux de mille trois cents ans, dicté à l'époque où les tribus arabes se faisaient encore la guerre à cheval.

Quel gâchis. Tout ça pour ça.

Le Coran devrait se vendre en version annotée, commentée, et être lu avec modération.

Ça éviterait bien des hécatombes.

Et, par précaution, il faudrait faire pareil avec l'Ancien Testament, la Torah et les Évangiles.

Les expurger de tout ce qui avait une raison d'être il y a trois mille ans, mais qui n'en a plus aujourd'hui, pour ne pas que les simples d'esprit s'en nourrissent et s'égarent.

En supprimer tous les messages de haine, d'incitation au nettoyage ethnique ou religieux, tous les encouragements à tuer ceux qui ne vous ressemblent pas. Ça économiserait des vies et du papier.

En s'approchant de la tente, Karim se demande bien au nom de quel enseignement celui-ci s'apprête à endeuiller des dizaines de familles innocentes, de quelle sourate il va draper sa lâcheté ?

Il soulève la porte de toile. L'homme est en pleine prière, sans doute l'une des dernières. Il ne distingue que sa silhouette, elle monte et descend en ombre chinoise, détourée par la lumière du soleil couchant.

Chaque fois qu'il tend la nuque, en posant le front sur son tapis de prière, Karim éprouve l'envie de la lui briser. Mais ils sont si nombreux à vouloir mourir. Une trentaine peut-être rien qu'à Mari.

Il ne faut pas qu'il disperse sa haine. Elle doit être toute pour Abou Ziad. Il faut s'attaquer aux fournisseurs, pas aux petits revendeurs.

L'homme se redresse, croise les mains sur le ventre et récite la Fâthiha, la sourate d'ouverture du Coran.

Au nom de Dieu, Clément et Miséricordieux.

Dans la tête de Karim, les images se mélangent.

Louange à Dieu, Seigneur des mondes.

Il imagine la « mère du diable » se promener entre les étals du marché de Matadi et choisir ses morts. Brusquement, Charlotte est là, souriante.

Le Souverain du jour du Jugement dernier.

Elle tient son ventre rond, heureuse d'être vivante. La mère du diable caresse les têtes d'enfants, comme des melons, pour choisir les meilleurs.

C'est Toi que nous adorons, et c'est de Toi que nous implorons le secours.

Il cherche l'homme qui prie devant lui dans la foule des curieux et des commerçants.

Dirige-nous dans le droit chemin.

Soudain, il l'aperçoit, tout près de Charlotte. Il saisit de sa main les fils et ses doigts remontent jusqu'au bouton-poussoir.

Le chemin de ceux que Tu as comblés de Tes bienfaits.

Karim panique. Il connaît la fin, cette fois il faut qu'il fasse quelque chose. Mais brusquement ses oreilles saignent.

Non de ceux qui ont encouru Ta colère ni de ceux qui se sont égarés.

Plus un enfant n'est debout.

Charlotte est éparpillée au milieu de la pulpe de légumes et de fruits. Encore une fois, il est arrivé trop tard. Il est fou de douleur et de rage.

L'homme s'agenouille à nouveau.

Il cherche des yeux de quoi lui fracasser les vertèbres et détourne un instant son regard.

« Karim ? »

La voix est faible mais il la reconnaît tout de suite. Elle a perdu de son innocence et de sa légèreté.

Le corps aussi a changé. Il est méconnaissable. Mohamed Ali a perdu dix kilos.

« Anthony ! C'est toi ? Mais qu'est-ce que tu fous là ? »

Il veut se jeter dans ses bras.

« Non ! Ne fais pas ça. »

Anthony recule et ouvre sa veste. Elle est là, collée à son ventre comme un boa.

Il reconnaît le velcro, les poches cousues par les fillettes de Raqqa, le bouton du détonateur aussi.

« Ne t'approche pas. C'est dangereux, on doit la porter un jour et deux nuits pour s'habituer, c'est la règle. »

Karim est assommé.

Anthony ne peut pas être le seul responsable de son naufrage. Chacun y est allé de son petit trou dans la coque, les politiques, les imams, les enseignants, les parents, les syndicats.

Combien de garde-fous n'ont servi à rien, rouillés d'indifférence sans doute, pour qu'un jeune ouvrier français finisse harnaché d'une ceinture d'explosif en Syrie ? Le système a disjoncté, à tous les étages.

Il aimerait l'embrasser, lui murmurer que tout ça n'a pas de sens, qu'il faut renoncer, qu'il connaît un routier, Hamed, pas loin d'ici, qui les fera passer en Turquie.

Anthony l'arrête.

« C'est n'est pas la peine, c'est trop tard. »

Karim le rassure, s'approche doucement et s'assoit en face de lui. Il n'a plus de visage tellement il est fatigué.

La mère du diable lui a sucé toutes ses forces, comme un ténia.

« Mais qu'est-ce qui t'est arrivé, mon frère ? »

Antony lui explique sa déception, la corruption, les exactions quotidiennes, les injustices, les vexations, la violence gratuite et le regard méprisant des Syriens envers les Martiens, son rêve qui s'écroule, Sarah forcée à faire des tweets toute la journée pour recruter au lieu de soigner les blessés, le manque de respect des autres hommes envers les femmes, les viols, les meurtres, Adam revenant de l'école coranique la bouche pleine de haine et les ongles rouges de sang à force de s'entraîner à égorger les infidèles sur des poulets, les faux musulmans, les faux-semblants, toute l'hypocrisie de ce pays en trompe-l'œil qu'on lui avait vendu, cher, très cher même, et puis sa décision de repartir, d'éloigner Sarah et Adam du cauchemar où il les a embarqués, le contact avec la résistance kurde, les longues négociations pour son exfiltration et, la veille de leur fuite, le ronronnement de l'hélicoptère au-dessus de leurs têtes et ce long fût noir venu s'écraser sur la maison d'en face, emportant les fines jambes de Sarah d'un côté et la bouille ronde d'Adam de l'autre, en le laissant vivant mais mort à l'intérieur, au milieu des ruines de sa vie, avec une haine si grande pour ceux qui l'avaient réduite en cendre qu'il se l'était attachée autour du ventre pour leur rendre au centuple.

Ses mots tombent comme les grosses gouttes d'une pluie d'été, lourds et hésitants.

De longs sanglots soulèvent maintenant son corps de boxeur.

Karim pleure avec lui. Il revoit la tignasse crépue du petit Adam et le sourire toujours un peu inquiet de Sarah. Sa joie quand il lui avait ramené son fils vivant, les baisers de remords sur son front d'enfant. C'est comme si l'onde de choc du Zébu Blanc continuait toujours et encore.

Il n'est entouré que de mort. Lui-même n'est plus tout à fait vivant.

« Ne bouge pas, lui dit-il, je vais t'enlever ça. »

Anthony lève les bras, vaincu, soulagé de se rendre.

« Reste calme surtout. »

Karim décroche une à une les bandes de velcro, délicatement.

« Je ne peux pas faire ça, sanglote Anthony, pas moi. J'ai peur pour mon âme. Je ne veux pas être responsable de tous ces morts. Je suis un bon musulman et les bons musulmans ne tuent pas, surtout au nom d'Allah. »

Soudain, il devient très agité. Il ne la supporte plus. Elle lui brûle le ventre.

Le détonateur glisse et tombe sur le tapis.

« Ne fais plus un geste, supplie Karim. »

Il le ramasse précautionneusement, récupère un bout de chatterton sur l'une des poches et le sécurise en l'entourant avec.

« Ne t'inquiète pas, ça va aller maintenant. »

Lentement, très lentement, il détache la ceinture et la dépose avec mille précautions sur le tapis.

Puis il le prend enfin dans ses bras. Ça lui fait du bien aussi. C'est son seul ami ici.

Anthony s'effondre.

« Je devrais me foutre en l'air, mais je n'ai même pas le courage. »

Karim le serre plus fort.

« Qu'est-ce que tu racontes ? »

Son regard est vide.

« Ils ne me lâcheront pas, mon frère. Si je pars, c'est fini. Ils sont toujours deux à surveiller. Tu hésites une seconde, ils te mitraillent le ventre et tu exploses que tu le veuilles ou non. »

Il prend sa tête dans ses deux grosses mains de boxeur.

« Fais-le pour moi, Karim, je t'en supplie.

— Quoi ?

— Tue-moi, je ne veux pas mourir comme ça. »

Karim l'allonge.

« Tu dis n'importe quoi. Dors un peu. Ne t'en fais pas. Je vais trouver une solution.

— Il n'y en a pas d'autre, je t'en supplie, fais-le pendant qu'il est encore temps. »

Par quels détours la vie les a-t-elle égarés ici, dans cette impasse, avec comme seul choix tuer ou être tué, mourir ou donner la mort, eux qui rêvaient de tant d'autres choses ?

Il refait le chemin en reliant les points comme dans ses labyrinthes d'enfants : Isis, l'imam, le Zébu Blanc, Abou Walid, Bruxelles, Anthony, Lila, Gaziantep, Alep, Mari.

Si seulement Charlotte avait filé un bas.

Il ferme les yeux et imagine un autre parcours : Isis, l'imam, le bassin d'Arcachon, l'accouchement, le retour à Paris, les premières dents et les premiers soucis, Charlotte sur son canapé blanc.

Mais tout est tellement vide autour de lui, sec, sans espoir.

C'est injuste de finir ici. Ni l'un ni l'autre ne l'a mérité.

Il caresse le front d'Anthony et Mohamed Ali s'endort comme un enfant.

Dehors, Youssef l'attend avec une lampe. La nuit est tombée sur Mari.

« Alors ?

— Alors, quoi ? demande Karim.

— Elle lui va bien ?

— Quoi ?

— La ceinture, ça va ? »

Au loin ne brillent que les lueurs des postes de garde. La Syrie a perdu son éclat.

« Bien sûr qu'elle lui va. »

Ils s'éloignent.

« Fais attention, c'est plein de pièges ici. »

Karim suit le halo de la lampe en enjambant des morceaux d'histoire. Ici, entre le Tigre et l'Euphrate, est née l'écriture trois mille cinq cents ans avant Jésus-Christ.

À l'époque des splendeurs de Mari, quand on traçait encore dans l'argile fraîche des signes à la place des lettres pour transcrire ses pensées, l'Égypte, elle adorait Isis, la déesse magicienne, la plus « grande des grandes », et sculptait à sa gloire toutes sortes de statuettes que les voyageurs en provenance du royaume de Mésopotamie, venus découvrir Alexandrie, ne manquaient jamais de rapporter à leur souverain.

Combien en reste-t-il à exhumer d'entre ces trous qu'il enjambe ?

La sienne, se lamente Karim, son Isis à lui, sa petite reine, contrairement à celle d'Égypte, ne ressortira jamais du carré de terre où on l'a enterrée.

Youssef salue les hommes qui gardent les ruines de l'ancien palais. Sous les plaques en plastique ondulé qui recouvrent la cour centrale brûlent quelques lumières.

Les hommes sont plus nerveux que d'habitude.

Karim aussi. Il est inquiet pour Anthony.

« Tu me prêteras ta lampe ? Il faut que j'y retourne, je n'avais pas pris assez de batteries. »

Le chimiste hésite.

« Il est quelle heure ? demande-t-il.

— 20 heures.

— Alors, il faut que tu fasses vite, prévient Youssef.

— Pourquoi ?

— Parce qu'Abou Ziad a demandé à te voir. »

Karim tombe en arrêt.

« Abou Ziad ?

— Oui, il a adoré l'histoire de Kubrick. Il t'attend au palais pour dîner dans une heure, et voir le film. Amène la clef USB. »

C'est comme s'il était tombé dans le tambour d'une machine à laver. Il a du mal à tenir debout, ses idées s'entrechoquent, il est en apnée, incapable de penser, son cerveau n'est plus irrigué.

Abou Ziad, dans une heure au palais, se répète-t-il.

Isis, l'imam, le Zébu Blanc, Abou Walid, Bruxelles, Anthony, Lila, Gaziantep, Alep, Mari et maintenant Abou Ziad. C'est la fin du labyrinthe. Le dernier point à relier. Sa main ne doit pas trembler.

Abou Ziad, l'homme sans visage, le désosseur, l'ancien des abattoirs de Mossoul, le survivant de la prison d'Abou Ghraib, le cauchemar des services secrets occidentaux, celui dont la tête vaut 15 millions de dollars, le commandant aux 25 000 volontaires, le recruteur d'Aurélien, l'assassin par procuration d'Isis et de Charlotte, est là et peut-être vulnérable.

Il lui faut une arme. Absolument.

D'abord, il refuse d'entendre ce que lui souffle la petite voix de la vengeance, c'est inenvisageable, pas lui, il n'est pas fait comme eux, jamais il ne pourra, il y a forcément une autre solution.

Il fait le tour des tentes pour la trouver. Sa lampe balaye des visages, inquiets, méfiants, hostiles. Les hommes boivent du thé brûlant, en se lissant la barbe, assis sur leurs talons sans lâcher leurs armes.

Ceux-là sont aguerris, on ne les trompe pas facilement, eux aussi sont au bout de leur labyrinthe, ils ont survécu à tout, juste pour mourir à la fin, et personne ne leur volera ce moment, surtout pas lui, l'imposteur, le mécréant qui n'a jamais su donner un coup de poing de sa vie. C'est sa limite. Celle qu'il doit dépasser.

Il descend vers le palais. Les gardes lui imposent à nouveau leur détour. Il n'a plus qu'une demi-heure. Le labo ! Il s'y précipite. Youssef a fait placer deux hommes à lui devant la porte, impossible aussi.

La petite voix est toujours là, tenace, têtue, lancinante comme une rage de dents. Par moments, il a l'impression qu'elle emprunte celle de Charlotte. Il voudrait l'éteindre, la débrancher, mais elle revient, toujours plus insistante.

« Puisqu'Anthony veut mourir et puisqu'il mourra de toute façon, autant lui éviter le pire. Pourquoi pas lui ? Après tout, il a une arme, redoutable même. »

Il s'est écarté du centre et machinalement a pris la seule route qu'il connaisse. Il s'arrête devant la tente.

On ne choisit pas toujours son ennemi. Parfois le sort vous l'impose.

La guerre fabrique des lâches ou des héros, et ceux qui la gagnent à la fin n'ont pas toujours les mains plus propres que ceux qui la perdent, mais la victoire absout leurs crimes et les transforme en actes de courage.

Karim s'apprête à commettre un acte de courage.

Il s'en convainc déjà. Anthony a choisi son camp, lui est dans l'autre. C'est aussi simple que ça.

C'est le seul obstacle entre lui et Abou Ziad, sa mort va en éviter des milliers d'autres, ce n'est qu'un point de plus à ajouter au chemin de croix de son labyrinthe.

La petite voix a eu raison de ses déchirements.

À combien de héros a-t-elle murmuré de commettre

l'impardonnable, en Indochine, en Algérie, en 1945, en Irak ou en Afghanistan ? De combien d'actes encore plus misérables est-elle responsable ?

La fin d'Anthony est le moyen d'empêcher Abou Ziad de continuer à ensanglanter le monde, et la fin justifie les moyens, tout le temps depuis toujours.

Il soulève la toile de l'entrée.

Mohamed Ali est allongé dans la position où il l'a laissé, K.-O.

Karim s'approche. Il n'a jamais étranglé personne. Il se demande combien de temps il faut serrer et avec quelle force pour écraser la trachée contre les vertèbres et obturer le larynx.

Il s'agenouille. Ses mains tremblent. Il pourrait vomir. Il n'arrive pas à les rapprocher l'une de l'autre. Respirer profondément pour se calmer, c'est ce qu'il faut faire. Ça va un peu mieux, puis brusquement sa gorge l'étouffe. Il est en train de s'étrangler tout seul, pour essayer. C'est impossible, il n'y arrivera pas, c'est un lâche, pas un héros, en tout cas pas à ce prix-là.

Il renvoie la petite voix dans les cordes. Il existe un autre moyen. Réveiller Anthony, lui expliquer, Charlotte, le Zébu Blanc, Abou Walid, ses mensonges pour arriver jusqu'ici, lui demander la ceinture, il comprendra, à lui aussi on a fait des trous dans la vie.

Sa main le cherche dans le noir. Elle le secoue. Ali reste K.-O.

Ses doigts remontent jusqu'à sa gorge. Elle est poisseuse. Anthony tient un papier dans une main et un bout de verre cassé dans l'autre. Il s'est libéré lui-même en s'égorgeant comme on lui a appris. Cette fois, Karim vomit.

Il attrape le papier. C'est un verset du Coran :

La mort que vous fuyez va vous rattraper. Ensuite, vous serez ramenés à Celui qui connaît les secrets du monde invisible et du monde visible et Il vous dira alors ce que vous faisiez.
(Sourate 62, verset 8)

La ceinture est là. Elle l'attend.
Abou Ziad aussi.

11

Elle lui mord la peau comme un chien. Il ne sent qu'elle.

Elle est serrée sous sa veste, discrète.

À chaque pas, il attend l'explosion.

Son corps suinte. Il respire mal. Il ne faut pas. Abou Ziad est protégé comme une ruche, ses bourdons voient la trahison partout, au moindre soupçon, ils attaquent.

Il faut dire que le monde entier est aux trousses de leur maître. Les Américains nargués jusque chez eux, Al-Qaïda qu'il a trahi, les Kurdes au nom de tous les martyrs de Kobané, l'armée irakienne décimée par ses kamikazes, le Canada, la France, le Royaume-Uni, l'Australie, les pays arabes, toutes les forces de la coalition, sans compter quelques hommes de son propre camp, jaloux de ce qu'il est devenu, et les frères de ceux qu'il a étranglés pour le devenir.

Abou Ziad est un État dans l'État islamique.

Ses hommes n'obéissent qu'à lui, aveuglément, il les a programmés pour ça. Il peut leur demander d'embrocher leur mère pour les faire rôtir, ils iront chercher le bois et allumeront eux-mêmes le feu.

Anthony n'est qu'une scorie, une malfaçon, un défaut

qui a échappé aux contrôles mis en place pour éliminer les déchets. Ça n'arrive jamais, d'habitude, le système les détecte avant d'en faire des bombes vivantes.

L'État islamique n'est pas regardant sur la qualité, il accepte les faibles, les dérangés, les schizophrènes, les dépressifs, à condition qu'ils se soumettent, sinon rien n'est perdu, il s'en sert de cibles vivantes à l'entraînement ou les attache au volant de camions bourrés d'explosif, lancés contre l'ennemi, l'accélérateur et le volant bloqués.

Karim se demande depuis combien de temps il n'a pas prié. Ça doit remonter à la mort de son grand-père, il y a huit ans. Il le revoit, maigre, allongé sur son lit, on aurait dit Ghandi.

En marchant vers le palais, il essaye de se souvenir des mots qu'il faut dire.

« Gloire et pureté à Allah. Il n'y a de divinité que lui, il est le Plus Grand. »

Et puis il y a cette phrase qui le faisait rêver enfant :

« Dieu dépasse pour moi tout ce sur quoi le soleil se lève chaque jour. »

Il se la répétait, s'inventait un costume d'« Allah man » avec un grand « A » sur la poitrine et survolait la cité, dépassait la voie rapide puis le bois aux filles, arrivait au-dessus de la mer, frôlait les embruns jusqu'aux remparts d'Oran, dont son père lui parlait encore avec des larmes dans la voix, et rentrait le soir, heureux comme Ulysse, retrouver sa mère, qui le déshabillait pour le coucher, en lui rappelant de ne jamais oublier ni ses parents ni son Seigneur.

« Allah répond toujours à l'appel de celui qui prie, lui

disait-elle, et si tu crois en lui tu seras toujours bien guidé. »

Tous ces moments sans vraiment d'importance qui remontent à la surface comme des bouts de poterie. Pourquoi ceux-là et pas d'autres ?

Il se souvient aussi d'un jeu idiot à la télé. Charlotte le regardait lovée dans le canapé, en étouffant un coussin, hurlant chaque fois qu'il voulait s'emparer de la télécommande.

« Non, laisse ! Je parie qu'il va appeler. »

Les candidats avaient le droit de se faire aider pour répondre à une question en faisant composer le numéro d'un ami.

Ce soir, lui aussi aurait bien aimé faire appel à quelqu'un pour franchir les portes du palais, la « mère de Satan » ventousée au ventre.

Mais son seul ami s'était tranché la gorge et on lui avait confisqué son portable.

Alors, après tant d'années de silence, comme un ingrat, lui, le mécréant, l'athée, s'en remettait à une vieille connaissance, perdue de vue depuis si longtemps, preuve tout de même qu'il ne l'avait pas tout à fait répudiée.

« Mon Dieu, murmure-t-il, fais que je n'explose pas pour rien. Si l'islam que tu as enseigné ressemble à celui de mon père, un islam de paix et de tolérance, si ceux qui prêchent la haine ont usurpé ton identité, alors fais-moi arriver jusqu'à Abou Ziad, aveugle ses gardes et tous ceux qui salissent ton image et celle des musulmans. »

Et brusquement, comme Jéhovah écarta la mer Rouge devant Moïse, Allah lui ouvre miraculeusement les portes du palais.

Il ne manque que le tapis rouge et Gilles Jacob en haut des marches.

La rumeur du remake de Kubrick a enflé jusqu'aux rives de l'Euphrate. Abou Ziad veut avoir l'honneur d'assister en privé à l'avant-première de la crucifixion des yézidis.

Pas question d'importuner la future palme de la propagande avec la mesquinerie d'une fouille au corps.

Péché d'orgueil, péché mortel aussi, espère Karim.

Il y a toujours un moment où la célébrité fait baisser la garde.

Même Massoud, le Lion du Panshir, n'a pas su résister à un énième moment de gloire. Il en est mort, piégé par un faux cameraman marocain qui lui a demandé en souriant :

« Commandant, que ferez-vous d'Oussama ben Laden quand vous aurez vaincu les talibans ? »

Ce sont les derniers mots que le commandant afghan ait entendus.

Le cameraman a soulevé sa chemise et a actionné sa ceinture.

Karim avait lu les témoignages de l'époque et s'était souvent demandé comment on pouvait en arriver à tant de détermination.

Aujourd'hui, c'est lui qui enlace la mère de Satan.

Dans l'ancienne salle du trône, les gardes ont étalé les tapis.

Ils sont brodés de croix et viennent des villages chrétiens. Où sont passées les familles qui s'y prélassaient, dans quel camp de réfugiés, au fond de quel charnier ?

Deux plateaux en fer-blanc tapissés de tomates en dés

et d'oignons blancs émincés brillent d'une huile d'olive pure et parfumée.

Trois caisses de roquettes servent de dessertes, l'une est encore pleine. Karim s'assoit à côté.

Il ose à peine s'accroupir, à chaque mouvement la ceinture craque. Il a sorti la photo de Charlotte et l'a mise dans sa poche avec le détonateur.

Il la caresse des doigts.

Les gardes l'installent sur de vieux sacs de selle tissés, garnis de milliers de petits bouts de livres anciens sur Mari, déchiquetés à la main.

Karim regarde ce qu'il reste de ce joyau de l'architecture palatiale, des pans de murs jadis incrustés de fresques dont les mieux conservées témoignent encore, au Louvre ou dans les ruines du musée d'Alep, de la vie sur les rives de l'Euphrate trois mille ans avant Jésus-Christ.

Le palais a connu les fastes des dynasties qui s'y sont succédé, on y a inventé l'écriture, réfléchi à l'hydrologie, affiné le concept des cités-État, débattu de l'importance de la science et de la propagation du savoir, décidé de la division de la voûte céleste en douze signes du zodiaque, développé le droit privé et commercial, observé les cartes avant de partir explorer le monde.

Aujourd'hui, on y mange de l'oignon assis sur des caisses de munitions, toute forme d'art est bannie, toute réflexion aussi, les livres sont réduits en confettis pour rembourrer les coussins, les femmes invisibles, on n'y invente plus que des tortures ou des interdictions, et les seules expéditions qui y sont ordonnées sont punitives.

À l'image des murs, le nouveau roi des lieux est nu, et Karim l'attend pour mettre fin à son règne, la photo de Charlotte à la main et la mère de Satan chevillée au ventre.

À sa grande surprise, Abou Ziad n'a rien d'un désosseur.

Il est habillé d'un impeccable treillis noir et porte à la ceinture un colt 45 probablement récupéré sur la dépouille d'un officier américain.

Deux Arabes de sa garde rapprochée, des Irakiens du Nord à n'en pas douter, anticipent le moindre de ses gestes.

L'un d'eux le débarrasse de son arme et la pose devant lui, à sa portée, pendant que l'autre l'installe dans les coussins.

« Je t'en prie, reste assis », lance-t-il à Karim en lui tendant par-dessus le tapis une main fine et élégante, visiblement plus habituée à manipuler les hommes que les armes.

Il est décontenancé. Il s'attendait à plus effrayant. Le personnage le déstabilise, c'est comme les insectes, plus facile d'écraser un frelon qu'une abeille.

Son anglais sent le taboulé et le thé à la menthe, mais il est précis et compréhensible.

« Je sais ce que tu penses, sourit-il, je n'ai pas la tête de l'emploi, mais ne te fie pas aux apparences, mon frère, ce soir nous dînons ensemble et demain je peux te faire pendre si j'ai un mauvais pressentiment. C'est comme ça que je survis, sans état d'âme. La vie ne m'a pas préparé à ça, mais elle prend parfois d'étonnants détours. La tienne aussi, je crois ? »

Karim a le sentiment désagréable d'être transparent, radiographié par son regard bleu, intelligent.

C'est idiot, se rassure-t-il aussitôt, s'il savait, il ne resterait pas calmement assis en compagnie de la mère de Satan.

« Tu ne devineras jamais ce que je m'apprêtais à faire le 20 mars 2003, juste avant l'invasion de l'Irak par les Américains », lui dit-il en desserrant son ceinturon pour se mettre à l'aise.

Effectivement, Karim n'en a aucune idée. Tellement d'histoires enluminent sa vie.

« À ouvrir une librairie anglaise à Bagdad, avec mon père et mon frère. Nous la voulions identique à la Shakespeare and Company, rue de la Bûcherie, à Paris. Tu connais ? »

Karim était un familier de la célèbre devanture verte et fouillis, en retrait des quais, au kilomètre zéro, juste en face de Notre-Dame. Il y passait de temps en temps avec Charlotte respirer l'odeur si particulière des encres américaines.

Tous les romanciers de la Beat Generation y avaient fait escale et servi derrière le comptoir : William Burroughs, Allen Ginsberg, William Saroyan, Henry Miller.

Aujourd'hui encore, la règle est la même. Les écrivains en visite à Paris peuvent dormir quelques nuits à l'étage à condition de faire leur lit, de passer deux heures dans les rayons à donner un coup de main et de lire un livre par jour.

Les deux sbires leur servent des verres d'eau.

« Et tu sais pourquoi l'inauguration n'a pas eu lieu ? »

Abou Ziad n'attend pas la réponse.

« Parce que, ce soir-là, mon père, ma mère, mon frère, sa femme, la mienne, nos sept enfants et mes trois domestiques ont tous été ensevelis vivants par une frappe "chirurgicale" américaine, ces bombardements censés ne faire aucune victime innocente. »

Il remue lentement la tête, les mâchoires serrées, la colère rentrée.

« Dix minutes après, une deuxième frappe a décimé les sauveteurs, soulevé les ruines de notre maison et mélangé les restes des corps avec les gravats. Je n'ai pu enterrer personne, il n'y avait pas de morceaux assez gros. Moi, j'étais chez l'imprimeur en train de vérifier l'impression du logo de la devanture. »

Les deux gardes se sont assis en tailleur, chacun à un bout de la table comme deux bouddhas lourdement armés.

Il se calme.

« Après, je suis allé manifester devant l'immeuble de l'état-major américain. Ils m'ont arrêté, soupçonné de terrorisme et j'ai fini à la prison d'Abou Ghraib où pendant trois ans on a laissé des chiens me lécher l'anus pendant que j'étais tenu en laisse. »

Il se tait à nouveau.

« Si tu cherches bien, il doit rester encore quelques photos sur Internet. »

Karim avait vu bien pire encore de ce moment de disgrâce où les GI s'étaient crus revenus à l'époque des Indiens.

Abou Ziad continue.

« Là-bas, j'ai souvent repensé à cette citation de Shakespeare dans *Henry IV* : "En temps de paix, rien ne sied mieux à un homme qu'une modeste et humble douceur. Mais, quand la tempête de la guerre éclate à votre oreille, imitez alors l'action du tigre." »

Il se délecte un instant du texte en fermant les yeux.

Karim prend une grosse gorgée d'air, se dit que c'est peut-être le moment d'en finir. Il hésite un peu, trop tard, Abou Ziad l'inonde à nouveau de son regard bleu.

« Alors, depuis que je suis sorti, je forme les tigres du califat et je crache sur tous les livres sauf celui de Dieu. Et toi ? »

Cette fois, il attend une réponse.

Il vide lentement son verre pour gagner un peu de temps. Il voudrait trouver une manière discrète de saisir le détonateur, mais les deux sbires ne le quittent pas des yeux.

« Moi, j'ai rencontré Abou Walid sur Internet et je suis venu faire ma hijra. J'en avais assez de vivre parmi les hypocrites et les mécréants. »

Abou Ziad enlève sa montre, efface la marque sur son poignet en massant, la pose devant lui et rapproche un peu son colt.

« Tu as fait le bon choix, mon frère, on a besoin d'hommes de ton talent, c'est comme ça qu'on va gagner la guerre. Il faut qu'on lève des armées dans toutes les villes. Il faut récupérer tous ceux que leur système laisse tomber, les camés, les mères célibataires, les chômeurs, les décrocheurs, les divorcés, les dérangés. Plus personne ne sait quoi faire d'eux, ni l'école, ni la police, ni leurs parents, ils sont largués. Même dans les bonnes familles. Ils savent à peine aller sur Google ! Tu vois les bataillons qu'ils nous préparent, mon frère ? »

Karim acquiesce en bon soldat mais pense à autre chose.

Il se dit qu'il pourrait faire semblant d'éternuer et de chercher un mouchoir dans sa poche pour saisir le détonateur.

« Il faut que tu fasses briller le califat, que tes films les attirent tous. C'est simple, donne un sens à leur mort et ils nous rejoindront puisque leur vie n'en a aucun. »

Il s'arrête pour envoyer d'un geste ses sbires accélérer les choses en cuisine puis reprend :

« On va délocaliser la guerre, mon frère. Monter des filiales partout. Franchiser nos idées pour que les musulmans n'aient même plus besoin de venir jusqu'ici, mais qu'ils fassent le djihad dans leurs quartiers, qu'ils deviennent des autoentrepreneurs du terrorisme. Il faut que chaque Français ait peur de nous trouver cachés dans sa salle de bains, que plus une mère ne laisse sortir ses enfants sans s'inquiéter, que plus personne ne descende faire pisser son chien tranquillement. Il faut faire passer la ligne de front dans leurs salons, sur les plages, dans les épiceries de village, mitrailler, les supermarchés, les mariages, les enterrements, ne plus leur laisser un mètre carré d'espace de paix, comme ils ont permis à Bachar de le faire ici, en Syrie. »

Ils sont seuls tous les deux.

C'est maintenant, se dit Karim. Son cerveau bouillonne, ses muscles ne veulent pas mourir et le martyrisent, il se rassure, il va sentir le contact du plastique sur ses doigts, puis presque rien, à peine une piqûre de moustique, lui a promis le chimiste.

Il a peur de la douleur même si c'est la dernière. C'est un réflexe idiot, mais il le paralyse. Comment font-ils, ceux qu'il considérait comme des lâches, pour trouver le courage qui lui manque ?

Il fait semblant d'éternuer et porte la main à sa poche.

Abou Ziad est plus rapide que lui, il fouille l'intérieur de sa veste et en ressort armé d'un... Kleenex.

« Tiens. »

Karim est liquéfié, il a entendu un coureur de cent mètres expliquer un jour, avec une immense détresse, toute l'énergie qu'engloutissait un faux départ, et combien la peur de devoir se remettre en ligne dans les secondes qui suivaient le paralysait, tellement la tension avait été grande.

C'est pareil. Il s'était concentré pour mourir et va devoir revivre juste pour recommencer.

« Qu'est-ce que je disais déjà ? demande Abou Ziad.

— Qu'on allait délocaliser. »

Il reprend, infatigable.

« On va mettre le feu partout, allumer tellement d'incendies qu'ils ne sauront plus où se réfugier, et ce sont eux qui vont nous fournir les armes. »

Karim fait semblant de se moucher.

« Et tu sais pourquoi ?

— Non.

— Parce que les valeurs auxquelles ils s'accrochent vont les perdre : les droits de l'homme, le débat, la démocratie, la justice, la laïcité. Ce sont autant de bombes à retardement pour eux. Il suffit de les amener à allumer les mèches. Ils s'étripent déjà sur ce qu'il faut faire pendant que la colère monte partout, il faut continuer à les diviser, les pousser à la faute, jusqu'au jour où un fou finira par faire sauter une mosquée ou par mitrailler une école coranique, alors là on aura gagné. »

Karim ne supporte plus son cynisme, il lui crève les tympans, à nouveau il est dans les starting-blocks, avec le même trac, la même envie de vomir, les mêmes pulsations à lui faire exploser le cœur.

Deuxième faux départ. Cette fois, Abou Ziad lui lance le paquet de mouchoirs. Il a l'impression d'être brusquement atteint de myopathie, il n'a plus de force.

« On y est presque, Karim, ils nous détestent, la haine de l'islam monte partout, regarde la Ligue du Nord en Italie, Ukip en Angleterre, le Parti de la liberté aux Pays-Bas et en Autriche, le Front national chez toi. Voilà nos vrais alliés ! Ils vont gratter l'allumette pour nous et ils sont tellement stupides qu'ils réclament déjà la boîte partout. »

Il s'arrête et baisse les yeux un instant sur sa montre.

Karim puise dans sa colère et son chagrin la force de saisir à nouveau le détonateur.

Il n'éprouve aucune appréhension cette fois, ni peur ni regret, juste l'envie d'en finir enfin, de passer à autre chose, sans savoir à quoi, de laver son regard de toutes ces horreurs.

C'est au moment de déclencher qu'elle entre, courbée en deux, ténue, fragile, dans la pièce, une aiguière à la main.

C'est une petite brune fatiguée. Elle a le regard de Charlotte.

Troisième faux départ. Tout son corps fait marche arrière.

« Je te présente Farida, ma deuxième épouse. »

Elle s'agenouille devant lui pour laver les mains. Il lâche délicatement le détonateur et les lui tend.

Ce n'est pas un tueur de femmes.

À nouveau, il a l'impression d'avoir été pris dans les vagues et rejeté broyé sur une plage. Elle verse de l'eau et essuie ses doigts en les tamponnant délicatement d'un imprimé rouge et blanc.

Abou Ziad prend l'aiguière et se lave lui-même, méthodiquement, un ongle après l'autre.

« Mangeons, dit-il, c'est peut-être la dernière fois. »

Karim est saisi.

« On peut mourir n'importe quand, toi et moi, dans dix ans, dans trois jours, dans trente secondes peut-être, personne ne sait. »

Une nouvelle fois, il a le pressentiment qu'Abou Ziad se doute de quelque chose.

« C'est la différence entre eux et nous, mon frère, nous n'avons pas peur. Nous vivons dans l'attente de nous sacrifier, eux vivent dans la peur de mourir. Ils n'ont aucune chance. Dieu ne nous a pas programmés de la même manière, et c'est normal puisque nous n'avons pas le même. Le leur est faible, à l'image de leur prophète, il tend l'autre joue et pardonne, le nôtre a guerroyé, s'est imposé par le sang, alors qu'ils nous bombardent chacun de leur raid aérien, chacune de leurs frappes fait venir à nous des milliers de nouveaux soldats. »

La jeune femme s'éclipse discrètement.

« Farida ! »

Elle s'arrête net.

« Tu peux rester manger avec nous. »

Elle revient aussitôt s'asseoir entre eux deux comme un animal bien dressé, les yeux tristes de tant d'obéissance.

Abou Ziad enfourne une grosse bouchée de tomates avec les doigts.

« Elle peut venir aussi », dit-il.

Le visage rond de la jeune femme s'éclaire instantanément comme une boule chinoise.

« Inès », appelle-t-elle.

Une petite fille brune bouclée, aux yeux comme deux

lacs noirs, vient se rouler en boule aux pieds de Farida et lui caresse la main en le regardant avec un sourire encore innocent du monde qui l'entoure.

« Quel âge a-t-elle ? demande poliment Karim.

— Deux ans. »

Farida n'a toujours rien dit.

Karim regarde la tablée. Il n'est pas un tueur de femmes et encore moins un tueur d'enfants. Tout se brouille. Isis aurait les mêmes yeux noirs qu'Inès, la même peau fine épargnée de tout, la même fragilité. Il ne veut pas lui faire de mal. Il faut qu'il se débarrasse de la ceinture.

Abou Ziad donne un ordre en arabe à la petite. Elle se lève et vient se planter devant lui.

Elle est belle. C'est la vie à l'état brut, pure, inaltérée, pareille à ce qu'elle devait être avant l'invention des religions et des nations, de toutes les croyances et de toutes les idées, parfaite, cristalline.

À son tour, sa mère la commande en arabe. Aussitôt, l'enfant se précipite vers lui et entoure la ceinture de ses petits bras.

Il est terrorisé.

« Doucement ! » dit aussitôt sa mère en français.

Inès relâche son étreinte. Karim respire. Il regarde Farida, surpris.

« Elle est comme toi », sourit Abou Ziad.

Il ne comprend pas

« C'est une Française. Vas-y, parle-lui, je ne comprends pas, mais j'adore entendre votre langue. »

Karim se méfie. C'est peut-être un piège.

« C'est votre enfant ? » demande-t-il à Farida, curieux.

Aux premières notes de sa voix, la petite se réfugie dans les bras de sa mère.

« Non, c'est la fille de mon premier mari. »

Abou Ziad sourit.

« C'est drôle, vous parlez comme vous mangez, avec plein de manières. Nous, les Arabes, on le fait sans mâcher, comme on avale. »

Il joint le geste à la parole et engouffre une poignée d'oignons blancs.

« Tu as le film du village yézidi ? »

Karim fouille délicatement dans sa poche, ses doigts frôlent le détonateur, caressent la photo de Charlotte et trouvent la clef USB.

« Tiens. »

Abou Ziad s'essuie les mains et la glisse dans son ordinateur.

« Tu viens d'où ? demande Karim à la jeune femme.

— De la cité des Poètes, à Pierrefitte.

— En face du Buffalo Grill, au carrefour des vols à la portière, là où on arrache les sacs à main ? »

Elle est surprise.

« Oui, pourquoi ? Tu connais ? »

Sa voix est beaucoup plus douce qu'en arabe. On sent qu'elle prend plaisir à parler français.

Le surréalisme de la situation fait sourire Karim. Il est là, harnaché d'une ceinture d'explosif, en face de l'un des hommes les plus recherchés au monde, à parler du Buffalo Grill de Pierrefitte au milieu des ruines d'une ancienne capitale mésopotamienne.

« Oui, j'habitais Aubervilliers. »

Farida mange délicatement.

« Le père d'Inès était aussi d'Aubervilliers », dit-elle simplement.

Abou Ziad les interrompt.

« J'adore la lumière des flammes ! Il faut la poster, ça va les attirer comme des papillons. »

Karim acquiesce machinalement. L'autre replonge avec délectation dans les horreurs de la vidéo.

« Vous vous êtes rencontrés là-bas ? » ose-t-il.

Elle jette un regard vers son deuxième mari puis murmure.

« Non, on s'est mariés par téléphone avant mon départ, il venait juste d'arriver en Syrie. »

Karim remarque les marques sur ses bras.

Inès s'est endormie un pouce dans la bouche.

Quelqu'un la frappe.

Elle saisit son regard et baisse ses manches. La petite se réveille puis se rendort immédiatement.

Il craint la réponse à sa prochaine question.

« Et qu'est-ce qui est arrivé au père d'Inès ? » demande-t-il quand même.

Elle caresse les cheveux de sa fille. Sa voix se brise.

« Il est mort en martyr à Paris. »

La décharge foudroie Karim. Il suffoque. Il éprouve la même sensation qu'en bateau, lorsqu'il chavirait et que, sous la voile qui l'entraînait vers le fond, il cherchait une poche d'air pour respirer.

« Au Zébu Blanc ? » réussit-il quand même à articuler.

Elle fait oui de la tête.

C'est impossible. Le sort ne peut pas s'acharner comme ça sur lui. Il n'a rien fait dont il se souvienne pour le mériter.

Inés et Farida sont les femmes d'Aurélien, le reflet de tout ce dont il l'a privé en se faisant exploser.

Brusquement, son cœur fait un rejet. Il ne supporte plus de les avoir en face de lui. C'est physique, incontrôlable, il a l'impression qu'elles respirent l'air d'Isis et de Charlotte, asphyxiées dans leur trou, qu'en se débarrassant d'elles ses femmes à lui retrouveront leur souffle et reviendront enfin.

Au même moment, les deux bouddhas armés font irruption. Abou Ziad saisit aussitôt son arme. L'échange est violent. Il se lève et hurle :

« Ne bougez pas, on a un problème, je reviens », dit-il sans plus d'explication.

Karim regarde s'éloigner celui qu'il a mis tant de temps à retrouver. Il ne contrôle plus rien.

La porte claque. Dehors, les ordres fusent.

Il croit comprendre.

« Que se passe-t-il ? demande-t-il pour en être certain.

— Ils ont retrouvé un homme assassiné au camp et il manque sa ceinture d'explosif », répond-elle.

Il revoit Anthony la gorge ouverte.

« C'est qui, les coups ? » demande-t-il sèchement.

Elle est surprise par le ton, hésite et répond.

« C'est lui.

— Il est très violent ? »

Elle a peur d'aller trop loin.

« Ne crains rien, je ne suis pas comme eux », la rassure-t-il.

Elle ne sait pas quoi comprendre.

Il la regarde se mordre les lèvres. Elle en est presque touchante. Il se dit que c'est une mère avant d'être la veuve d'un tueur.

« Oui, avoue-t-elle, il me martyrise tous les jours.

— Et Aurélien ? »

Elle se recroqueville, brusquement paniquée.

« Tu connais Aurélien ? »

Il insiste sans répondre.

« Il était violent aussi ? »

Elle s'effondre et pleure. Il lui tend les Kleenex d'Abou Ziad.

« Non, sanglote-t-elle, au contraire, c'était un bon père et un bon mari. »

Il la hait à nouveau.

Dans quel univers s'est-elle réfugiée ? Comment a-t-on pu la laisser dériver si loin ? Il lui revient les images de cet océan de plastique, quelque part dans le Pacifique, un amas de rebuts dont tout le monde croyait s'être débarrassé à bon compte et qui a fini par former un continent de déchets dont plus personne aujourd'hui ne sait comment venir à bout.

C'est ça, l'univers de Farida. Un immense ramassis d'ordures à la dérive, qui se sont agglutinées pour s'ériger en un califat et qu'il est difficile de nettoyer maintenant que par manque de courage nous l'avons laissé grossir et devenir mortel.

En appuyant sur le détonateur, voilà ce qu'il rejoindrait, un monde en putréfaction, interdisant toute autre forme de vie, asphyxiant sous sa croûte nauséabonde la moindre différence.

Mourir maintenant serait nier tout ce qu'il est. Un musulman français, respectueux du prophète sans être un fou de Dieu, un homme à l'aise dans son temps, sans a priori, soucieux d'enseigner à ses enfants la tolérance comme première religion, capable d'aimer indifféremment une musulmane, une juive ou une chrétienne, de boire une bière de temps en temps, de respecter les femmes et leurs libertés, de faire une place dans sa vie aux gays et à tous ceux qui pensent autrement pourvu qu'ils l'expriment respectueusement et sans agressivité.

L'islam n'a pas besoin d'un fou de plus. Appuyer sur le détonateur serait faire un cadeau trop précieux à ceux qui le défigurent.

C'est une guerre de valeurs, pour la gagner, il ne faut pas renoncer aux siennes, même si la tentation est grande d'appuyer sur la gâchette, même si ça lui saigne la bouche parfois, quand les têtes tombent sous les coups de sabre, de n'avoir comme seule arme que ces trois noms à répéter encore et encore pour se protéger de cette barbarie : liberté, égalité, fraternité, parce que jamais on n'a su exprimer autant en si peu de mots.

Brusquement lui revient une histoire qu'Araxie, l'arrière-grand-mère arménienne de Charlotte, leur avait confiée un soir.

Quand le Near Est Relief, l'association humanitaire américaine, décida de racheter les orphelins arméniens aux familles de leurs maîtres, ils les alignèrent le long de la voie ferrée en attendant le train pour l'orphelinat d'Alep.

Ils étaient des centaines de survivants à patienter ainsi, une goutte d'eau, tellement il y avait eu de morts.

Tout près d'Araxie, un enfant turc d'à peine deux ans jouait dans la poussière, assis par terre loin de sa mère.

Quand le train est arrivé, l'arrière-grand-mère de Charlotte l'avait pris par la main et l'avait fait monter avec elle.

« J'aurais pu le tuer, me venger de mes souffrances, leur avait-elle expliqué, mais je me suis dit que ça ferait toujours un Arménien de plus et un Turc de moins. Ils nous en avaient tellement enlevé. »

Karim regarde Farida. Elle étouffe un coussin entre ses bras avec les mêmes gestes que Charlotte.

Ça fera toujours un espoir de plus, se dit-il, et une djihadiste de moins. Deux avec Inès.

Il pense à la mère d'Aurélien seule dans sa cuisine devant sa tranche de jambon. Sait-elle seulement le trésor que son fils a laissé derrière lui ?

Il est le seul à pouvoir les réunir comme plus jamais il ne pourra réunir Charlotte et les siens.

Il lâche le détonateur.

« Je peux vous faire sortir d'ici si tu veux, mais il faut te décider vite », lui dit-il.

Elle est déchirée. Si c'est un piège, elle est morte. Si elle reste, elle mourra sous les coups.

La porte s'ouvre. C'est Abou Ziad et les deux bouddhas.

« Restez là, leur ordonne-t-il. Quelqu'un a trahi, il faut qu'on le retrouve. »

Dehors, la ruche bourdonne, les hommes s'affairent aux voitures, les culasses cliquettent.

Les bouddhas sont déjà repartis. À nouveau, ils sont seuls.

« Je te fais confiance », dit-elle.

Farida et le fruit de ses entrailles s'en remettent à lui, le Judas de Mari.

« Donne-moi Inès », lui ordonne-t-il.

Elle lui tend son enfant. Il la tient à bout de bras pour l'éloigner de la ceinture.

Maintenant, il a sa vie entre les mains.

« J'ai une voiture dehors. S'ils te demandent quelque chose, dis-leur qu'Abou Ziad t'a ordonné d'aller te mettre à l'abri dans la maison d'Hamed.

— C'est tout ? demande-t-elle.

— Quoi ?

— Ton plan.

— Pourquoi, tu as mieux ?

— Non, avoue-t-elle.

— Hamed repart ce soir en Turquie, j'ai de l'argent, il nous fera passer la frontière. »

Farida fronce son beau regard noir.

« Je peux te demander une chose ?

— Ce n'est pas le moment.

— Pourquoi es-tu venu ici ? »

La mère d'Aurélien lui avait posé la même question. Il fait le même constat : le malheur de Farida n'adoucirait pas le sien.

Il se dit qu'il faudrait rajouter un pilier à l'islam : le pardon.

Ou le substituer à l'obligation d'aller faire le pèlerinage à La Mecque.

Ça ferait moins d'argent pour les Saoudiens et les agences de voyages, mais ça enrichirait les musulmans égarés loin des vrais sentiers de l'islam.

Il se souvient de deux passages du Coran que lui répétait son père.

« Si vous vous vengez, que la vengeance ne dépasse pas l'offense », et « ne détestez rien, car ce que vous détestez pourrait faire votre bonheur ».

Pourquoi les islamistes sautaient-ils toujours les meilleures pages ?

Il regarde Inès et ne voit rien dans ses yeux qui justifierait de lui faire payer la mort d'Isis, au contraire même, l'arracher à ce marécage, la rendre aux bras vides de sa grand-mère, serait un premier bonheur, après cette suite infernale de malheurs, une façon peut-être d'inverser le destin, de quitter ce monde macabre et de revenir à la vie.

Farida a remis son niqab. Dehors, le calme est revenu. Deux hommes armés gardent la porte. Le plus jeune, les yeux soulignés au khôl, l'attrape par l'épaule.

« Tu sais sur qui tu poses la main ? » aboie-t-elle en soulevant son voile.

Il s'écarte comme s'il avait empoigné de la braise.

« Quand Abou Ziad rentrera, je lui demanderai de te couper la tête moi-même. »

Le deuxième sort discrètement son téléphone et s'éloigne. Karim le retient.

« Je vais juste les mettre à l'abri chez Hamed et je reviens. Ce sont les ordres. Ne t'inquiète pas. »

Le garde hésite et raccroche.

La voiture est à cent mètres.

Dans le rétroviseur, Mari disparaît. Le désert avale tout. Au loin brillent déjà les lumières du barrage des femmes. Il aperçoit leurs silhouettes de poupées russes. Elles sont trois dans la lumière à lui barrer la route. Ils se rapprochent. Sur le côté, deux hommes braquent la voiture de leurs armes. Le garde a téléphoné.

La mère du diable lui mord le dos. Cette fois, c'est le dernier bout de la dernière route. Elles ne se doutent de rien.

Inès ferme déjà à demi les yeux. Farida fixe la route.

Il aurait voulu les emmener plus loin, mais on ne connaît jamais la fin. Dommage.

« Tiens le volant », lui ordonne-t-il.

Il cherche dans sa poche.

« Qu'est-ce que tu fais ? » demande-t-elle, concentrée sur la conduite.

Une première balle perce le rétroviseur. La voiture fait une embardée. Il reprend le volant d'une main.

Une deuxième troue le radiateur.

Il freine brusquement et libère la main de sa poche.

« Tiens », dit-il à Farida.

Il lui tend 500 dollars.

« Avec ça, Hamed te fera passer la frontière, mais surtout ne le paie pas avant d'arriver. »

Elle n'a pas le temps de comprendre.

Un homme ouvre la porte, assomme Karim d'un méchant coup de crosse, le traîne dans la lumière des phares et lui arrache sa veste.

Il a les dents jaunes.

« Ceinture ! » hurle-t-il.

L'une des poupées russes précipite Inès et Farida hors de la voiture.

« Courez vous mettre à l'abri ! » ordonne-t-elle.

La maison d'Hamed est à cent mètres à peine. Le camion est déjà devant la porte. Karim les regarde s'éloigner, les mains sur la tête, le canon d'une kalachnikov sur la tempe.

Tout le monde est mort de peur. Les niqabs s'agitent autour de lui comme des feux follets.

L'homme aux dents jaunes le désenlace nerveusement de la mère du diable.

Il éprouve un mélange de soulagement et de regret, le même qu'à la fin de son premier slow quand la fille avait arraché son corps au sien et mis fin à l'épreuve de danser devant tout le monde.

Une combattante emmène la ceinture loin d'eux. Il se sent orphelin.

Le deuxième homme, un jeune à la barbe fine, lui brise l'arcade d'un coup de botte et lui ferme un œil.

La poussière et le sang envahissent sa gorge.

Les femmes le traînent par les pieds jusqu'à l'intérieur d'une baraque en terre et l'assoient sur une chaise d'école.

« Traître ! » lui hurle dents jaunes en lui collant son arme sur le front.

Au loin, il entend le bruit d'un camion s'éloigner.

Il les imagine au Buffalo Grill de Pierrefitte et sourit.

Barbe fine prend ça très mal. Il lui brise l'épaule d'un coup de coude. Karim s'écroule. On le force à se rasseoir.

Il n'a plus envie de souffrir, alors il fait le nécessaire.

« Vous faites honte à l'islam ! » leur dit-il en arabe.

Dents jaunes lui crache à la figure. Barbe fine sort un beretta de sa ceinture et l'arme.

Karim ferme les yeux. Il n'est déjà plus là. Il a quitté Mari, le désert, la Syrie, et cherche le visage de Charlotte allongée sur son canapé blanc. Elle n'est plus loin, son verre de Sancerre encore frais est posé sur la table.

Une voix braille derrière lui comme une télé trop forte.

« Laisse-le-moi, il ne vaut pas la peine qu'on gâche une balle. »

C'est une des poupées russes. Le jeune range aussitôt son beretta.

Elle l'attrape par les cheveux et lui force la tête en arrière. Il ne voit que son voile noir pendouiller.

« Ce que tient ta main droite t'appartient, ma sœur, sourit Dents jaunes. Fais-en ce que tu veux. »

Elle tire plus fort, son cou se tend, il suffoque. Le vieux crache sur la lame d'un poignard et le tend à la poupée russe.

Pour Daech, périr de la main d'une femme est pire que de mourir. C'est sa punition.

Elle relève son voile. Il reconnaît tout de suite les deux petites dents écartées de Vanessa Paradis.

Un instant, il prend ça pour un signe de chance.

« Lila ? »

Erreur. Elle lui crache au visage. Elle a perdu son regard d'enfant, il n'y a plus à l'intérieur que de la haine.

« Comment tu as pu faire ça à Anthony ? » vomit-elle.

Sa voix s'est métallisée. Elle ne s'appartient plus. Il n'essaye même pas de se défendre. Il prend seulement sa gorge à deux mains pour la protéger de la lame.

Elle la force déjà entre ses doigts pour trouver son cou. Il a vu mille fois le geste lent et profond. Il espère qu'elle aura la force de le faire proprement.

Au plafond, une ampoule blanche l'aveugle. Il n'en veut pas pour dernière image et ferme les yeux.

Ils peuvent lui imposer sa mort, mais pas le décor.

Dans le noir, des voix hurlent à Lila d'égorger l'apostat.

Derrière les cris, brusquement, il lui semble entendre monter le rire gracieux de Charlotte.

Il entrouvre les paupières. Les barbes et les kamis ont disparu. Un soleil chaud de premier jour de printemps filtre une pluie de pollen à travers les vitres de leur chambre. Charlotte promène son ventre rond en contre-jour de la fenêtre. Elle sourit en fredonnant Christine and the Queens.

Je ne tiens pas debout
Le ciel coule sur mes mains
Ça ne tient pas debout
Sous mes pieds le ciel revient

Il a l'impression d'avoir déjà perdu la tête. Elle a l'air tellement vraie.

Tout est là, son odeur sur les draps, ses cheveux emberlificotés dans les picots de la brosse, et Primo Levi posé devant la lampe de chevet.

Sur la chaise à côté du lit, il lui semble même apercevoir une paire de bas filés.

Nos remerciements à Charles et Nicolas Aznavour, qui nous ont aimablement autorisé à reproduire les paroles de « Emmenez-moi ».

Paroles et musique : Charles Aznavour
© Éditions Djanik, 1968.

Pour écrire à l'auteur

Éditions Don Quichotte
pour Pascal Manoukian
13, rue Séguier
75006 Paris

auteurs@donquichotte-editions.com

Contactez directement l'auteur sur
« Pascal Manoukian Facebook »

RÉALISATION : NORD COMPO À VILLENEUVE-D'ASCQ
IMPRESSION : CPI FRANCE
DÉPÔT LÉGAL : JANVIER 2017. N° 134463-3 (140532)
Imprimé en France